POPA
MOMAN
ET
LE SAINT HOMME

Du même auteur

Les Terres Noires, Montréal, Éditions Hurtubise HMH, 1965.
L'Orientation, Montréal, Éditions Hurtubise HMH, 1970.
En quatre journées, Montréal, Éditions Leméac, 1982.

Jean-Paul Fugère

POPA
MOMAN
ET
LE SAINT HOMME

Roman

L'arbre HMH

Données de catalogage avant publication (Canada)

Fugère, Jean-Paul, 1921-

  Popa, moman et le saint homme

  (Collection L'Arbre)

  2-89045-762-1

  I. Titre. II. Collection : L'Arbre HMH.

PS8511U4P66 1985   C843'.54   C86-096093-X
PS9511U4P66 1985
PQ3919.2.F83P66 1985

*Le Conseil des Arts du Canada
a accordé une subvention pour
la publication de cet ouvrage*

Illustration et maquette de la couverture :
Olivier Lasser

Photocomposition :
Entreprises Précigraphes ltée
11 points sur 13 points
Garamond médium

Éditions Hurtubise HMH ltée
7360, boulevard Newman
Ville de LaSalle, Québec
H8N 1X2
Canada

tél. : (514) 364-0323
*Dépôt légal / 4ᵉ trimestre 1985
Bibliothèque Nationale du Québec
Bibliothèque Nationale du Canada*

ISBN 2-89045-762-1

Table des matières

J'aurais voulu, si j'eusse été Moïse et que vous m'eussiez donné mission d'écrire la Genèse, recevoir de vous un tel art de l'expression, une telle qualité de style que même les esprits incapables de comprendre comment Dieu crée ne pussent rejeter mes paroles comme au-dessus de leur force; que ceux qui en seraient déjà capables découvrissent, intégralement, dans les rares paroles de votre serviteur, toutes les vérités que leur réflexion leur aurait déjà apprises; et que si quelqu'autre lecteur, à la lumière de votre vérité, apercevait une autre signification, il pût aussi la retrouver dans ces mêmes paroles.

Saint Augustin
Les Confessions
Livre douzième
Chapitre XXVI

I- Éloge de la berçante

Sans bouger de sa chaise, Popa éteint le téléviseur. Tous les canaux diffusent des images de Noël. Popa se penche à droite, ramasse, près de la chaise, sa bouteille de bière à demi vide, prend deux gorgées et, sans hâte pour rester occupé plus longtemps, repose la bouteille. Il se penche à gauche et ramasse par terre, posées sur son journal, *Les Confessions* de saint Augusin, ouvre le livre au hasard et sans hâte. Il ne regarde pas la page. Aussi immobile et gris qu'un mort ou qu'une statue de glaise, aussi absent que s'il était déjà parti, l'œil ouvert sur rien, il s'abandonne à sa seule ambition : persister.

Je vais vous dire, se dit Popa. Il peut raconter (mais à qui ?) qu'il habite un vieux quartier autrefois surpeuplé. Quelle densité à l'époque ? Au mètre ou au pied carré, difficile à dire, mais quelle animation les jours de fête, quelle vie ! Si vous aviez vu le monde à la messe de dix heures le dimanche à l'église Saint-Stanislas, et la foule rue Laurier le samedi, petites gens des petites rues et gros bourgeois du boulevard. Popa n'assiste plus à la messe et ne participe plus au va-et-vient de la rue. Les habitudes ont changé. On ne se chauffe plus au charbon et les gouvernements détournent les gens du chauffage au mazout après en avoir favorisé l'usage par toutes sortes d'incitations auxquelles Popa s'est laissé prendre comme d'autres. Maintenant, les livreurs se font prier pour remplir son réservoir à vingt fois l'ancien prix. Quand les bourgeois du boulevard Saint-Joseph ont émigré vers Outremont et N.D.G., quand les familles ont commencé à fuir les vieux logements pour des pavillons prétentieux à Laval, à Pierrefonds, à Terrebonne, Popa a refusé, malgré les pressions de Moman, de quitter la rue Fabre où il a ses aises. Moman s'adapte n'importe où parce qu'elle ne s'attache à rien. Le quartier appartient maintenant aux couples concubins et aux personnes seules, chômeurs, vieillards, étudiants ou marginaux comme Titoine.

Son logement est situé au nord de la rue Laurier. Autrefois, il aurait dit : entre Laurier et la track. La voie ferrée qui sert de moins en moins a cessé d'être une référence utile. Les maisons de sa rue, comme celles de la rue Marquette, se ressemblent, construites à la même époque par le même constructeur. La plupart ont trois étages. Dans la rue voisine, la rue Garnier (mais c'est vrai pour les rues Chambord et De Lanaudière), Popa était chaque fois frappé, quand il allait encore s'y promener, par la grande liberté des constructions. On voyait que la rue Garnier s'est bâtie lentement alors que la rue Fabre, et la rue Marquette, ont surgi en un seul grand chantier qui a effacé du jour au lendemain quelque ancien pacage. Peu importe, Popa ne quittera jamais sa rue Fabre pour leurs manoirs de l'Âge d'or, leurs résidences pour personnes âgées, leurs glorieux pacages du Vieil âge.

Tout comme le quartier, son logement était très animé autrefois. Il y a peu d'années encore (combien?), le propriétaire qui logeait au-dessous se plaignait constamment du tapage des enfants. Popa a élevé sa famille dans cette vieille maison inconfortable. Il a emménagé ici peu après son entrée à l'Hôtel de ville dans l'inspection des aliments. En quelle année? Moman et lui n'avaient encore qu'un enfant, Titomme. Un grand loyer de six pièces quand on n'a qu'un bébé, cela semblait du gaspillage, mais depuis toujours Popa habitait des maisons trop petites et trop pleines, il avait voulu s'étirer un peu sans se heurter à quelqu'un. Cela n'a pas duré tellement longtemps. D'autres enfants sont arrivés et Popa a dû y penser deux fois avant de s'étirer. Il avait occupé un autre logement avant celui-ci. Rue Mentana. Ou Montcalm ? La maison de la rue Montcalm, il l'a quittée en se mariant, c'était celle de ses parents. Il était mireur d'œufs au Pacifique. Son expérience dans les œufs lui a permis d'entrer à l'Hôtel de ville.

L'immeuble qu'il habite est formé de trois appartements superposés. Il occupe celui du centre. L'ancien propriétaire qui logeait au-dessous s'est plaint longtemps du tapage des enfants. Chaque fois, Popa lui répondait qu'il ne pouvait pas les attacher. Le nouveau propriétaire demeure à Ville d'Anjou et ne s'est jamais plaint, mais les enfants avaient déjà quitté la maison quand il l'a achetée. Ils seraient partis même si Popa avait habité la banlieue. Pour le temps des fêtes, ils sont éparpillés aux quatre coins du monde. Quand viendront-ils lui montrer leurs museaux qui commencent à friper ? Il n'en a aucune idée. Moman, elle, s'invente des tas de prétextes pour n'être pas à la maison. Popa peut s'étirer et se pâmer à longueur de journée, il ne risque pas de heurter quelqu'un. C'est pour cela qu'il s'est tourné vers Augustin. « Où répandez-vous ce qui reste de vous quand vous avez rempli le ciel et la terre ? » Cette question d'Augustin le distrait un instant.

Il ramène les yeux sur la cuisine où sa vie est arrêtée. La fêlure de la glace au-dessus de l'évier a été causée par Surette. À quatorze ou quinze ans, elle se croyait très laide et, dans un accès de rage, elle s'est attaquée à son reflet. Sous le plastique qui recouvre la table, la grande tache bleue dans le bois a été faite par Titomme en renversant une bouteille d'encre. Le bleu, foncé d'abord, pâlit lentement et disparaîtra sans doute un jour. La cuisine est pleine de marques et de cicatrices plus éloquentes qu'une longue chronique, mais Popa ne voit plus ces signes et rappels à moins de faire un effort comme maintenant. Il peut aussi relever des traces des travaux de Sucrette l'autre semaine. Ce qu'elle aime se donner de la peine! Et on ne peut l'en soulager sans la frustrer de son plaisir. La poussière qu'elle a soulevée n'a pas fini de retomber.

Popa ne va presque plus dans les autres pièces. Le salon et la salle à manger, la chambre des filles qui a été d'abord un boudoir et qui a tenté vainement de le redevenir, la chambre des garçons maintenant pièce à débarras. En plus de la cuisine, il n'utilise pour ainsi dire que la salle de toilette et sa chambre à coucher qui conserve ses beaux meubles de bois sombre. Une chambre conjugale aura toujours pour lui le ton grave et chaud de son mobilier de mariage. La nuit, il garde son pot de chambre à côté du lit. Le jour, il le place sous la berçante. Marcher lui est pénible. Ses jambes enflent pour un rien, pour rien, et sa cystite chronique le réveille souvent. Le pot de chambre lui évite de se traîner jusqu'à la salle de bains. Sucrette prend prétexte de cela pour tenter de lui imposer les foyers subventionnés comme si les hospices pouvaient supprimer la cystite ou l'enflure des jambes.

Popa tourne le dos à la fenêtre de la cuisine qui donne sur la galerie et la passerelle. À cause des enfants, Moman et lui n'ont jamais aimé cette passerelle qui surplombe la cour et conduit au hangar. Par quel miracle aucun des enfants n'est-il tombé de cette passerelle dans la cour, douze ou quinze pieds plus bas? Dans le temps, Moman piquait régulièrement des colères, organisait des complots avec ses enfants et une partie de la famille pour qu'on déménageât dans un rez-de-chaussée. Simple inspecteur en aliments, et trop honnête ou timoré pour empocher les petits cadeaux, il ne pouvait s'offrir le loyer d'un bas toujours plus élevé qu'un haut. Il ne va plus dans le hangar. À sa dernière visite, Sucrette y a rangé d'anciens pots à confiture que Popa refuse de jeter sans l'accord de Moman. La neige déjà s'accumule sur la passerelle ; à la fin de février, elle monte jusqu'à l'appui de la balustrade. L'hiver dans lequel on vient à peine de s'engager lui paraît un interminable tunnel blanc. Très loin, au bout, le printemps. S'il l'atteint, Popa peut espérer se rendre à l'automne. D'ici là, prudence : une fausse manœuvre pourrait le bloquer à jamais dans le tunnel. Quand viendra l'été, s'il vient, Popa se tournera vers la fenêtre et suivra sans effort la vie extérieure, le passage d'un oiseau, le soleil qui se montre ou se cache, le vent dans le linge qu'une voisine met à sécher. L'hiver, il tourne le dos à la fenêtre et tire sa chaise vers le centre de la pièce afin de mieux se défendre du froid.

Il est installé dans sa bonne berçante à fond et dossier de paille. Parfois il tourne la tête pour voir le vent soulever la neige sur la passerelle. Il ne souhaite pas sortir de sa cuisine. D'ailleurs, marcher lui est pénible. Ses jambes enflent pour rien, pour un rien. Il reste dans sa berçante, à se bercer. Son père dans les derniers temps occupait une place et une chaise semblables dans sa maison de la rue Mentana. Ou Montcalm. Il n'avait pas de pot de chambre, mais un crachoir, à cause de sa pipe. Quand on voulait lui parler, on s'assoyait près de lui, mais du côté opposé au crachoir. Son pot de chambre, Popa le place sous la chaise pour que les visiteurs ne s'y prennent pas les pieds, mais il n'y a jamais de visiteurs et il en est bien content, il n'a besoin de personne. Son grand-père aussi a peut-être passé ses derniers temps dans une berçante près d'une fenêtre de cuisine, mais ce n'était pas en ville. Sans doute peut-on remonter très loin et toujours découvrir un popa dans sa berçante, attendant sans bouger, sans faire de bruit.

Sa berçante de paille et de merisier lui semble un lieu privilégié, il y est bien, il peut y rester très longtemps. Il a toujours été autonome et débrouillard. En pleine crise économique, il a réussi à s'introduire à l'Hôtel de ville, à se marier, à faire des enfants, sans emprunter d'argent à personne. Maintenant, grâce à sa retraite d'ancien inspecteur, il peut affronter le présent, et l'inflation, sans demander l'aide des enfants et sans être forcé de suivre les lois de leurs manoirs de l'Âge d'or. Dans sa berçante, il a tout à portée de la main. Sur le sol, à sa gauche, le journal *Le Devoir,* un vieux numéro. Sucrette a tenté de le remplacer par un numéro récent. Popa a refusé, sachant qu'après peu de jours, le nouveau journal ferait tout aussi désuet que l'ancien. Un journal de juillet, cela tient l'hiver à distance et permet de considérer avec détachement les bouleversements du monde à la télévision. Il garde aussi, à côté du journal, ou dessus comme tout à l'heure, *Les Confessions* de saint Augustin pour l'instant ouvertes dans ses mains. Le livre, paru en édition de poche, appartient sans doute à Titoine, car il l'a trouvé dans l'ancienne chambre des garçons il y a une dizaine de jours. Le saint homme et lui sont presque du même âge et ont connu tous deux une jeunesse agitée. « Voilà dans quelle compagnie je courais les places de Babylone, et me vautrais dans la boue comme en des nards et onguents précieux. » À Montréal, c'était moins parfumé. Il admire l'intelligence et l'intense curiosité de cet Africain. Un nègre ? Comme les parents de Popa, ceux d'Augustin n'étaient pas riches. Son père a dû pendant un temps le retirer de l'école, faute d'argent pour payer les cours, c'est Augustin qui le confesse. Le saint homme était un premier de classe, une grosse caboche qui veut tout savoir et peut tout comprendre. Popa imagine un petit gars de la paroisse Saint-Stanislas qui finit par épater les éminents professeurs de Paris ou de Boston. Il a déjà rêvé d'un tel destin pour ses enfants. Il regrette que Titomme soit le seul à posséder un diplôme. Titoine suit bien, par-ci, par-là, des bouts de cours à l'UQAM, mais ça ne compte pas.

À droite, à côté du patin de la chaise, sa bouteille de bière aux trois quarts vide. Il a toujours été un gai luron et un sportif, il a toujours recherché les manifestations politiques, les rencontres amicales, les célébrations d'anniversaires, les réunions syndicales, les parades et les processions. La bière, qui était de toutes ces fêtes, est tout ce qui en reste. Il avait sa chanson à répondre, toujours la même. On disait : Popa, chante-nous ta chanson. Il la chantait presque sans se faire prier. «J'ai dit, oh Ernestine, des lacets p'is des bottines.» De belles fêtes. Sous la chaise, entre les berceaux, le pot de chambre à cause de la cystite. Accrochée au dossier, sa canne. Il a tout à portée de la main. Marcher lui est devenu pénible. Ses jambes... Sur son ventre, le télésélecteur qui lui donne un contrôle complet sur la télévision. Une damnée invention, ce télésélecteur! Depuis qu'il l'a, il est incapable de rester plus d'une minute sur un canal. Il n'arrête pas de se promener. Il a l'impression que c'est partout plus ou moins la même chose, plus ou moins le même fond sur lequel on varie les couleurs. Plus il se promène, plus il s'irrite. Cet après-midi, on parle de Noël sur les vingt-deux ou les cinquante-deux canaux, il ne sait plus. Ce télésélecteur est un cadeau des enfants aujourd'hui éparpillés aux quatre coins de l'Amérique, et il est bien content pour eux.

Popa n'a qu'à étendre le bras pour saisir le téléphone. Parfois, mais pas aujourd'hui, un enfant appelle pour s'assurer que Popa est toujours là, qu'il n'a pas décidé tout à coup de monter au ciel, ne laissant de son passage qu'un trou dans le plafond. Depuis quelque temps, Titomme, son aîné, lui parle tit-nègre au téléphone. «Popa a pas trop mal à ses jambes? Popa veut-i' que son Titomme prenne en main toute la comptabilité, paie les factures et s'occupe des dépôts à la banque ? » Non, Popa veut pas, Popa dit à son Titomme de se mêler de ses affaires. Le rapport d'impôt une fois par année, ça suffit. Il répond en tit-nègre au tit-nègre de Titomme. Il commande par téléphone bière et provisions à un dépanneur de la rue Laurier qui vend un peu cher, mais fait la livraison. Ses besoins sont réduits. Il réussit à manger sans pour ainsi dire quitter sa berçante. Avec la crosse de sa canne, il attrape une boîte de conserves dans l'armoire froide, il s'ouvre une bouteille de bière, et cela lui permet de tenir jusqu'au repas suivant, jusqu'à la prochaine boîte. Il est assez fier de son habileté et de son immobilité. Pour durer, il ne faut pas dépendre des autres. Sa berçante est un bon refuge, le lieu où il assoit sa toute-puissance, la preuve qu'il est toujours capable d'invention, de créativité, comme on dit dans *Le Devoir*. Il reçoit même les gens sans bouger de sa chaise. Un de ses beaux-frères qui est électricien lui a installé un système ingénieux, sorte de télésélecteur que Popa se pend au cou ou accroche comme maintenant au dossier et dont il se sert pour trier les visiteurs. Il peut entrer en conversation avec la personne sur le balcon, savoir qui se permet ainsi de le déranger. Avec cet appareil, il peut aussi déverrouiller sa porte sans quitter la berçante, de sorte que l'épicier vient déposer la bière aux pieds mêmes de Popa. En dehors de l'épicier, il a peu de visiteurs. Qui songerait à venir le voir, surtout un jour comme aujourd'hui où tous les gens sont très occupés dans leurs familles ? Comme il a éteint le téléviseur, et que personne ne le visite, il se balance. Quand on se berce doucement et qu'on ferme les yeux, on est où on veut. En attendant. On a parfois l'impression qu'on n'est pas encore né, et on s'imagine des destins à venir dans lesquels on ne serait jamais ni mireur d'œufs ni inspecteur de viandes. Il attend le retour de Moman. « Ah !

que les forts, que les puissants se gaussent de nous, pourvu que nous autres, les infirmes et les pauvres, nous confessions à ta gloire! » Encore saint Augustin. Il ne se souvient plus quand Moman a dit qu'elle rentrerait de l'hôpital, mais elle ne saurait tarder.

Ce n'est pas soixante-quinze ans qui est long; au contraire, cela semble aussi court qu'une saison. C'est une journée de Noël ou pas, c'est cela qui ne passe plus, même si Popa en dort des bouts de plus en plus importants, Dieu merci. Quand on a fermé le téléviseur qui ne parle que de ça et qu'on regarde autour de soi, on a peine à croire que c'est Noël. Pas la moindre bebelle aux fenêtres. Dans la cuisine, aucune odeur d'un jour pareil.

La berçante est un bon refuge, c'est aussi le dernier. Assis sur la paille de sa chaise, il lit toujours le même journal, quand il lit, et toujours le même livre dont il ne comprend pas le sens la plupart du temps, et c'est pourquoi ce livre lui convient parfaitement. Il a tourné le dos au monde, aux gens, à la fenêtre, ou c'est le monde, les gens, la vie qui lui ont tourné le dos. Lui qui n'a jamais été grand, il est maintenant trop gras, il boit trop de bière, il ne bouge pas assez et le sang circule de plus en plus difficilement dans ses jambes. Il a des genoux et des chevilles qui enflent pour un rien, pour rien. Certains matins, il ne peut pas mettre ses souliers, il reste dans ses gros bas de laine toute la journée. Il s'installe dans sa berçante en s'assurant, comme un navigateur, qu'il a autour de lui tout ce qu'il faut pour tenir jusqu'à la tombée de la nuit, et il ne bouge plus de son radeau. Seul un bercement de temps à autre témoigne de la vie. Parfois il se sent comme un foetus dans une poche de paille.

Il s'est réfugié dans sa berçante depuis qu'il a renoncé à changer un monde qu'il ne comprend plus. Du temps où il comprenait ce qui se passait autour de lui, il était constamment sur la trotte et sur la brèche. Il trouvait toujours aux questions des enfants des réponses claires. Aujourd'hui il laisse de plus en plus leurs questions sans réponses. «Popa, as-tu besoin de quelque chose?» «Qu'est-ce que je peux faire pour toi, Popa?» Ils sont assez grands pour trouver sans lui. En vieillissant, on apprend à se faire à soi-même les questions et les réponses, à se parler tout seul, folie pour les uns, sagesse pour les autres. Du temps où il comprenait le monde et savait y répondre, il a cru qu'il suffisait de faire du bruit et de se donner de la peine pour que le monde devienne plus beau et plus juste. Il s'est occupé du club 4-H, un enfant, un arbre, la réconciliation de l'homme avec la nature, les clubs Optimiste, l'œuvre des grands frères et des bons voisins. Il a milité un peu dans le CCF, il a été délégué syndical des inspecteurs d'aliments municipaux. À la taverne de la rue Craig, près de l'Hôtel de ville, quand il chantait avec ses compagnons de travail, c'était pour que le monde devienne plus beau et plus juste, et nous vaincrons la Crise, et nous vaincrons la Guerre, et nous vaincrons le Capitalisme, et nous vaincrons le Communisme. Quand il travaillait le vendredi soir et le samedi comme commis supplémentaire dans une boucherie de la rue Mont-Royal, c'était pour ouvrir à ses enfants un monde plus juste et pour qu'eux-mêmes deviennent plus beaux. Moman aussi faisait sa part quoique, pour elle, le monde plus beau commençait par une cuisine neuve. Elle ramène tout à ses enfants et à son logement de la rue Fabre. Quant à lui, après tant de bruit et de peine, il en est venu à se méfier du monde que ni le bruit ni la peine ne suffisent à modifier. Par ailleurs, l'immobilité la plus totale au fond d'une chaise berçante n'écartera pas toujours l'échéance dernière. Pour y échapper, il quitterait volontiers chaise et cuisine, il se traînerait hors d'ici sur le ventre et consentirait à bien d'autres bassesses, mais abandonner sa bonne berçante ne ferait qu'avancer le rendez-vous.

10

Il se penche en avant, attrape son pot de chambre et, sans se lever, soulage sa vessie. Ça fait mal et ça fait bon. Il replace le pot sans rien renverser et sans quitter son ber. Il tète sa bouteille jusqu'à la dernière goutte et la replace à sa droite. Il ferme les yeux. Il n'y a rien à voir. Comment croire que c'est Noël? Qui peut venir au monde par un jour pareil? Qui peut avoir envie de naître?

II- Sucrette et le pot de chambre

Somnolait-il quand avait retenti la sonnerie de l'entrée? Il avait ouvert l'interphone inventé par son beau-frère.

— Qui c'est ça?

— Ta fille, Sucrette. Vite débarre, on gèle.

C'était déjà la mi-décembre. Elle était entrée dans la cuisine, enveloppée de fourrure, généreuse, chaleureuse et, comme toujours un peu chefferesse. Malgré tout ce qui, à dix jours de Noël, l'appelait aux quatre coins de la ville, elle venait donner la tétée à son vieux père. Elle apportait aussi une tourtière. Les tourtières de Sucrette valent quasiment celles de Moman, et depuis que Moman ne touche plus à la pâte, il n'a que celles-là. Elle l'avait rangée dans le frigo en se plaignant des odeurs de la maison, et elle s'était approchée pour embrasser son père qui n'avait pas vu un chat depuis des jours et ne s'était pas méfié. Il avait hâte de respirer son parfum semblable à celui de Moman, de presser contre lui ses bons gros seins comme ceux de Moman. Elle avait heurté du pied la bouteille de bière. Cela avait arrêté les effusions avant qu'elles ne commencent. Que les enfants sont maladroits! Et fureteux! À genoux pour torcher le dégât, elle avait aperçu, sous la chaise, le pot de chambre.

— Popa! Qu'est-ce que ça fait dans la cuisine?

La grosse Sucrette avait enlevé son beau manteau et retroussé ses manches. Elle s'était emparée du pot, l'avait vidé dans le cabinet, l'avait nettoyé à l'eau de javel (le pipi de vieux sent mauvais, mais Popa s'en fiche), puis elle avait refusé de le replacer sous la chaise. Il n'y a que deux lieux pour les choses intimes : la salle de bains et la chambre à coucher. Elle avait rangé le vase dans la chambre, acceptant de fermer les yeux sur les nuits paternelles. Il avait pris cela patiemment, il n'est pas un père pour rien, il sait qu'on ne fait pas ce qu'on veut avec ses enfants.

Malgré l'élimination du vase de nuit, la cuisine avait gardé son odeur de vieux et de rance, Sucrette n'osant pas jeter son père avec l'urine du pot. Elle tournait autour de la chaise berçante, mais il était devenu méfiant, il avait perdu son pot de chambre, il voulait garder le reste : l'ordre établi par lui autour de la chaise. Tout en ramassant une vieille chaussette, un papier-mouchoir, une croûte de pain tombée à l'insu de Popa dont la vue n'est plus ce qu'elle était, elle avait offert de changer le journal pour un numéro du matin, elle avait même proposé d'abonner Popa au *Devoir* de sorte qu'il dispose chaque jour d'un journal tout neuf. Obnubilée par son affection filiale, elle était incapable de comprendre que son vieux père tienne à son numéro du 7 juillet, qu'il en fasse son dernier *Devoir,* qu'il n'en accepte jamais d'autre. Et quel était ce livre ? La veille, en cherchant d'anciennes photos de Moman dans la chambre à débarras, il avait déniché *Les Confessions* et en avait lu quelques pages en diagonale. Sucrette consternée avait déclaré (son côté chefferesse) que son vieux père n'avait plus l'âge de penser aux péchés ; des bandes dessinées le distrairaient bien mieux de l'hiver que les sermons d'un apôtre et martyr. C'est vrai que saint Augustin, mais Popa avait lu quelques pages seulement, se plaint beaucoup, pleure beaucoup, voit des péchés partout. «Ô corruption! ô vie monstrueuse! ô abîme de mort!» En plein ce que Popa n'aime pas entendre. Le livre d'ailleurs lui était tombé des mains, il reposait sur *Le Devoir* en attendant que Popa un jour le retourne dans la chambre à débarras. Mais la pression de Sucrette avait eu pour effet de le rapprocher du saint homme. S'il avait sacrifié à sa fille *Les Confessions* ou *Le Devoir* du 7 juillet, elle lui aurait vite pris, par amour, par pitié, pour le plus grand bien de Popa comme ils disent tous, sa berçante, sa cuisine, sa maison, son indépendance d'ancien inspecteur municipal.

Renonçant à lui enlever son livre et son journal, Sucrette s'était remise à nettoyer en se plaignant de n'en avoir pas le temps. Elle était en retard pour sa cuisine des fêtes, en retard pour ses emplettes des fêtes. Elle ne pouvait se fier à personne pour choisir à sa place les cadeaux de chacun. De Noël au jour de l'An, elle s'installerait à Saint-Faustin avec sa famille. On mange, on dort, on fait du ski, mais quel déménagement à organiser! Et, en plus, Popa! Il lui avait répondu :

— Je me débrouille très bien et je t'ai pas demandé de venir. Mais tu me rendrais service si tu allais à la banque encaisser mon dernier chèque de pension.

Elle avait lavé, balayé, frotté, rangé le plus gros. Un ménage à la va-vite, dirait Moman. Et en se plaignant tout le temps. Pourquoi le beau Titoine et la grande Surette ne font-ils pas leur part, eux qui n'ont pas d'enfants? Pourquoi Popa la traite-t-il comme une servante alors qu'il est tout sucre pour la grande Surette? Elle est jalouse de sa sœur restée mince comme un fil. Elle avait descendu jusqu'à la rue les ordures ménagères, des boîtes de conserves surtout, qui s'étaient accumulées depuis quelque temps. Elle avait remis son manteau et couru à la Caisse populaire toucher le chèque de pension. Chefferesse, mais bonne fille.

À son retour, ça sentait toujours le rance et le vieux. Elle avait reproché à son père d'être trop gras (« tu ne peux plus attacher la ceinture de ton pantalon »), de boire trop de bière (« as-tu vu ton gros ventre ? »), de ne plus bouger de sa chaise (« je connais un vieux de ton âge qui fait sa demi-heure de jogging chaque jour »). Popa décevait beaucoup sa grosse Sucrette, mais pour qui faire des frais ? Il a mal aux jambes et Moman est toujours partie.

Infatigable, mais épuisante, elle avait enveloppé Popa et sa chaise d'une grande couverture de laine. Elle avait ouvert tout grand portes et fenêtres pour chasser la pestilence qui pourtant le dérangeait bien moins que cet air glacé de la mi-décembre qui tourbillonnait autour de la chaise et lui gelait les pieds. Bonne fille, mais très chefferesse. Pour son vieux père, elle était prête à tout. Pas tout à fait. Pressé par sa cystite, Popa avait réclamé le pot de chambre.

— T'as pas envie de faire ça dans la cuisine ?
— T'auras rien qu'à me tourner le dos.

Elle avait refusé net. Alors, si elle ne voulait pas qu'il fasse ça là, dans sa chaise et dans ses culottes mal attachées, qu'elle l'aide, et vite ! Elle lui avait donné sa canne, elle l'avait soutenu, tiré, poussé jusqu'à la salle de bains, elle l'avait attendu de l'autre côté de la porte, puis l'avait ramené, le portant à demi, jusqu'à sa berçante. Cela avait été pénible, et Popa n'avait rien fait, au contraire, pour que ce ne le soit pas. Qui aime bien châtie bien. Sucrette, comme ses autres enfants, n'est ni méchante ni mesquine, ce n'est pas toutes les filles qui viennent, de temps à autre, donner le sein à leur père déclinant. Elle est seulement ordinaire, comme ses autres enfants, et c'est ça qui est enrageant.

Épuisée par l'aventure des cabinets, elle avait affirmé que ça ne pouvait plus durer (elle n'avait qu'à lui rendre son pot). Elle avait déclaré qu'il n'y a pas de pire spectacle pour une bonne fille que celui de son vieux père, la barbe longue, l'enflure aux pieds, le pot de chambre entre les jambes, se gavant de bière et de boîtes de conserves qu'il ne se donne même pas la peine de réchauffer. Elle avait dit, les larmes aux yeux :

— Si Moman te voyait!

— Moman, elle aime mieux regarder ailleurs.

Tout de suite après les fêtes, elle se mettrait en quête d'une bonne place pour son père dans une résidence du troisième âge où il recevrait une nourriture décente et des vêtements propres, fréquenterait des gens de son âge, jouerait aux cartes et pourrait traîner son pot partout.

— Jamais!

En attendant le lit à l'hospice, elle avait voulu l'amener à Saint-Faustin (est-il parent avec le Faustus dont parle le saint homme?) afin de veiller sur lui pendant les fêtes. Il avait repoussé l'invitation. Il ne peut pas laisser la maison vide. S'il fallait que Moman reçoive son congé et rentre au logis? Sucrette avait tempêté, l'avait traité de tous les noms, menacé de tous les maux. Il n'avait pas bronché de sa chaise. Elle s'était assise sur les genoux de son père, oubliant combien elle est devenue lourde. Elle avait pleuré dans son cou, elle voulait lui donner son lait : elle était prête à tout pour le soustraire à la rue Fabre. Popa ne s'est laissé ni acheter ni attendrir. Jamais on ne l'enfermera dans un hospice. Il restera toujours bien assis dans sa chaise, sa bière d'un bord, son livre et son journal de l'autre. Entre les deux, sous la chaise, le pot de chambre. Jamais il n'imitera saint Augustin qui pleure et gémit parce qu'il ne se trouve pas bien où il est et désire constamment être ailleurs. Les mains crispées sur les appuis de la berçante, Popa s'était enfoncé dans le refus et le silence pendant que sa grosse Sucrette en larmes avait rentré le sein, remis sa fourrure et couru aux quatre coins de la ville préparer les réjouissances.

Le téléphone sonne, faisant sursauter Popa qui somnolait peut-être. Un appel de Saint-Faustin.

— Joyeux Noël, Popa. Ça doit être triste dans ta cuisine.

— Pas tant que ça, il y a de bons programmes à la télévision.

Sucrette voudrait que ses enfants viennent au téléphone parler à leur grand-père. Popa les entend qui refusent, et il en est bien soulagé, car il n'aurait rien à leur dire. Sucrette pleure dans l'appareil.

— Ah! Popa!

— Ah! Sucrette!

III- Le ciel le sait

— À bientôt, Grand-Popa.

Les derniers mots de Mimi, auxquels il a refusé de répondre, résonnent encore à son oreille. Et maintenant l'escalier branlant ne vibre plus sous les pas de sa petite-fille. Elle est déjà sur le trottoir, elle court vers le tramway, je veux dire l'autobus de la rue Papineau ou du boulevard Saint-Joseph. Il regrette de s'être conduit comme un vieil haïssable. Quand elle a dit «à bientôt Grand-Popa», il avait la bouche pleine de mots durs et doux. Peut-être a-t-il été bien avisé de se taire, car il serait allé trop loin dans le dur comme dans le doux. Pourvu que l'apparente mauvaise humeur de Popa n'empêche pas Mimi de revenir dans deux jours.

Tout a commencé il y a quelques heures à peine. Il était seul dans sa cuisine, n'attendant rien ni personne en ce 27 décembre, cinq jours avant la nouvelle année, celle de ses soixante-quinze ans. Le téléphone a sonné, il a décroché sans y penser, il a dit :

— Allo.

On a dit :

— Et si le ciel le sait.

— Si le ciel sait quoi?

On a dit :

— Ici le Centre local de services communautaires, le C.L.S.C.

Ou quelque chose comme ça. Aujourd'hui on ne s'exprime plus que par accumulation de majuscules. Si on continue, on n'emploiera plus, pour se parler, que la première lettre de chaque mot : l'alphabet aura chassé le langage. Le CLSC de Saint-Louis-du-Parc a quitté ses grosses lettres et Popa a compris que Sucrette avait exercé des pressions pour qu'on envoie de l'aide à son vieux père qui est bien mal pris. Sucrette, quand elle met de la pression quelque part et qu'elle se lance dans ses menteries... Elle tient ça de sa mère. Pour commencer, le CLSC a provoqué la colère de Popa.

— Allez promener vos lettres ailleurs, je suis encore capable de me défendre tout seul.

Mais Popa a changé de ton quand il a compris que le CLSC cachait beaucoup de bonnes choses dans ses majuscules : quelqu'un pour faire le ménage, peut-être des repas chauds à la maison certains midis, ce qu'on nomme la popote volante ou roulante, et pas question d'hospice, pas question de centre d'hébergement ni de camp de concentration.

À peine était-il remis de cet appel que le téléphone a sonné de nouveau. Le moyen de ne pas décrocher! C'était une voix jeune et claire, une vraie musique de Noël deux jours trop tard. Elle s'appelait Mimi, elle avait hâte de le voir et de lui donner un coup de main. Les enquêtes, les visites médicales, les prises de sang et les analyses d'urine viendraient bien assez vite et ne relevaient pas de son département.

— Qu'est-ce que c'est ça, les prises de sang? Vous faites le ménage ou vous faites pas le ménage?

Mais la voix était si fraîche et sans la moindre pointe de suffisance ou d'autorité! Il en a tellement plein son casque de se faire parler de haut et sur un ton péremptoire comme s'il était en culottes courtes! Mimi s'adressait à lui comme à une grande personne qui en a déjà vu de toutes les couleurs et, sans pourtant le connaître, elle semblait déjà lui manifester de l'affection. Elle a terminé l'appel par un «à tout à l'heure, Grand-Popa» qui a fait battre son cœur. Si Moman, qui est facilement jalouse, l'apprenait, elle reviendrait à la course, s'est-il dit en raccrochant. La mauvaise humeur qu'il traînait depuis Noël a fondu complètement.

Au pas dans l'escalier, au coup de sonnette, il a reconnu Mimi sans l'avoir jamais vue. Il s'est reproché son trouble qui n'est plus de son âge; il a vite éteint le téléviseur dont il avait déjà coupé le son.
— Qui est là?
— C'est Mimi, Grand-Popa.
— Entre, ma petite-fille.

Ce fut simple à ce point. Il a déverrouillé, elle est entrée. Dans le corridor, elle disait déjà:
— Où êtes-vous, Grand-Popa?
— Au fond de la cuisine, ma petite-fille.

Il a été longtemps un homme bien élevé. Elle lui est apparue en chaussettes, en grosses chaussettes de laine. Elle avait un grand sourire et des yeux plus verts que bleus. Elle avait déposé dans le vestibule ses grosses bottes jaunes d'ouvrier de la construction. À l'entrée de la cuisine, elle a laissé tomber son havresac rouge en nylon sur lequel est cousu un drapeau québécois. Quand elle a enlevé son grand manteau flottant et trois épaisseurs de chandails et de vestes, Popa a surtout vu les petits seins pointus, les hanches d'adolescente, et deviné tout le reste. Ça l'a rendu heureux, et il a cru qu'il le resterait pendant quinze jours. C'était compter sans son maudit mauvais caractère de cochon.

Mimi lui a expliqué comment fonctionne un CLSC et comment un grand-popa ou une grand-moman peut obtenir ses services. Elle est elle-même auxiliaire familiale à mi-temps et poursuit des études en sciences juridiques à l'Université du Québec. Popa s'est retenu pour ne pas dire le mal qu'il pense de l'UQAM, l'U du cul, encore les grandes lettres et les gros mots, depuis que son fils Titoine y a mis les pieds. Au fond, il sait bien que Titoine se serait tout autant traîné les pieds à l'Université de Montréal ou à McGill si on avait voulu de lui quand il s'y est inscrit. Il a aussi rempli des formules pour Sherbrooke, pour Ottawa et pour l'Université Laval. Il en a même envoyé à Harvard et à Columbia.

Popa a reconnu n'avoir vu personne à Noël et n'attendre personne pour le jour de l'An, mais avec son *Devoir* de l'autre été et son vieux saint Augustin qui déparle comme ce n'est pas possible, il ne craint pas de s'ennuyer. Il n'a pas soufflé mot de la télévision à laquelle tous les vieux s'accrochent. Popa n'est pas tous les vieux. Mimi n'a pas glissé de remarque désagréable dans le genre: pauvre vous, ou, que c'est donc triste, ou, moi je vais m'occuper de vous! Elle avait autre chose à faire.

Elle était arrivée dans la cuisine en grosses chaussettes grises après avoir laissé ses bottines jaunes dans le vestibule. Elle a sorti de son sac québécois des souliers de tennis, des gants de caoutchouc et un tablier qu'elle a attaché par-dessus ses jeans, et elle s'est mise à laver et à frotter. C'était beau à voir. Chaque fois qu'elle passait près de lui, Popa avait envie de siffler comme à seize ans. Puis elle lui a demandé de quitter sa chaise afin de la nettoyer et de laver alentour. Il n'était pas pressé d'abandonner le siège de sa toute-puissance et d'étaler sa faiblesse devant cette jeune personne qu'il connaissait bien peu. Il lui a expliqué qu'il ne pouvait quitter sa berçante, ça ne se fait pas. Premièrement et dernièrement, bouger, c'est s'exposer, toutes les bêtes le savent. On n'atteint l'immortalité que par l'immobilité. Deuxiè- mement et dernièrement. Le monde est vraiment trop décevant. Dans sa chaise, au fond de la cuisine, avec rien comme horizon, rien comme avenir, il évite les déconve- nues. Troisièmement et dernièrement. Ses vieilles jambes de plus en plus raides, de plus en plus enflées ne peuvent le porter. Qu'elle lave et frotte tant qu'elle le souhaite autour et alentour, sans rien déranger cependant, elle pourra s'approcher de Popa autant qu'elle voudra, il ne se plaindra pas, au contraire, mais qu'elle ne lui demande pas de quitter la retraite de ses vieux jours. Quatrième- ment et vraiment dernièrement. Il s'est arrêté là. Sans doute s'était-il expliqué un peu longuement, avec trop de détails, mais cela lui permettait de prolonger le plaisir de la voir devant lui, debout, toute simple, toute droite, toute toute. Mimi a répondu par:

— Cher Grand-Popa!

Il a cru qu'il avait gagné.

— Premièrement, deuxièmement, troisièmement et der- nièrement, dites-moi pas qu'à deux, on peut pas se rendre jusqu'à la chaise droite! Vous m'aidez et je vous aide.

Elle lui a pris le bras, sans faire de charme ni user de violence comme Surette ou Sucrette. Il aurait préféré qu'elle s'assoie sur ses genoux, mais il s'est levé en gémissant et il s'est rendu jusqu'à la chaise droite près de la table. Il a eu l'impression d'une infidélité à sa berçante, et il a trouvé plaisir à cette tromperie comme si c'était à Moman qu'il jouait ce tour. Mimi a placé sur la table, à côté de lui, son vieux journal, ses *Confessions* en livre de poche et sa bouteille. Pendant qu'il terminait sa bière, elle a vidé, savonné, javellisé le pot de chambre, puis l'a replacé sous la chaise sans se moquer, sans se plaindre non plus, comme Sucrette, de l'odeur de la cuisine et de celle de Popa. Mais il restait sur ses gardes, résolu, malgré les charmes cachés et manifestes de la petite gueuse, à la mettre à la porte subito presto avec ses grosses bottes et ses grosses lettres si elle tentait de modifier sa vie figée. Elle a lavé autour de la berçante au point que le revêtement de vinyle a retrouvé une teinte claire qu'il croyait perdue. Elle a passé la berçante au savon fort. Même le fond de paille et le dossier y ont pris une nouvelle jeunesse. Il a cru qu'il pourrait se réinstaller sur son trône. La proposition de Mimi l'a mis tout croche.

— Si on prenait un bon bain chaud?

Il lui était arrivé de prendre son bain avec Moman dans les premiers temps du mariage alors qu'ils n'avaient pas encore à se garder des enfants, mais depuis longtemps, il n'avait pas mis l'orteil à l'eau, seul ou avec d'autres. Il est resté confus quelques instants. Grâce à Mimi, rejoindrait-il, comme son plancher, une jeunesse qu'il avait crue perdue? Puisque l'invitation venait de l'auxiliaire familiale elle-même qui travaille en quelque sorte pour le gouvernement, ça ne pouvait être que légal et médical. Elle a fait couler l'eau, elle lui a déterré une robe de chambre dont il ne se sert plus. Il lui a dit qu'elle trouverait aussi la vieille robe de chambre de Moman au fond du placard. Elle l'a conduit dans la salle de bains; il ne se sentait plus les jambes, il avait envie de danser. Il s'est assis sur le couvercle du cabinet, elle lui a retiré ses pantoufles et ses chaussettes. Il a attendu. Elle ne lui a rien enlevé d'autre. Elle-même, elle n'a pas ôté ses tennis ni ses gants, elle n'a rien enlevé du tout, elle est sortie en refermant la porte de la salle de bains où Popa s'est vu pris. Mimi n'était-elle qu'une super-Sucrette plus rusée que l'autre? Il a dû enlever seul ses vêtements. Pour l'encourager, ou le narguer, elle chantait en poursuivant le ménage des autres pièces. Malgré un commencement de mauvaise humeur, il a trouvé le bain agréable. Il avait oublié ce plaisir. Il s'est même attardé dans la baignoire. Quand il en a eu assez, il a appelé Mimi. Elle lui a apporté une serviette de bain et des vêtements propres, mais elle a refusé de l'essuyer et elle n'est pas revenue. Il a constaté que ses jambes, après cette trempette, lui faisaient moins mal.

Quand dans des vêtements propres, les cheveux bien brossés, il a ouvert la porte de la salle de bains et réclamé l'aide de Mimi, elle s'est exclamée qu'il avait la crinière la plus blanche et la plus extraordinaire, une crinière de chef d'orchestre! Il a toujours aimé la musique, la grande. Dans une autre vie, il aurait voulu être Toscanini ou Kostelanetz. Sa canne dans la main droite, la main gauche sur le bras de Mimi, il s'est dirigé vers sa chaise. Sans le bras de Mimi, il serait tombé sur les fesses : c'était la cuisine du bonheur, comme si Moman avait été là. Pendant qu'il prenait son bain, Mimi avait installé d'anciennes décorations de Noël dénichées dans la chambre à débarras: des cloches, des boules, des guirlandes rangées par Moman et oubliées là. Ça partait du plafonnier pour aller aux quatre coins de la pièce. Il y avait des boules de couleur suspendues un peu partout, une couronne de buis artificiel dans la porte, une grande étoile d'argent dans la fenêtre. Jamais Sucrette n'aurait pensé à ça, et Popa non plus. Ça ressemblait à Moman. Il a promis de conserver les décorations jusqu'à la Chandeleur s'il pouvait lui-même se conserver jusque-là. Mimi ignorait complètement cette fête de la Chandeleur. Quand on n'a que vingt ans, c'est excusable.

Elle a ramassé le linge sale, dressé une liste de ce qui manquait, il lui a donné des sous, elle a mis un lavage dans la machine, puis s'est rendue à l'épicerie de la rue Laurier. Elle n'a pas offert de rapporter de la bière, et il ne lui en a pas demandé par crainte peut-être de se faire

25

censurer. De la bière, il peut s'en faire livrer autant qu'il veut. Peut-être Mimi pourrait-elle dorénavant toucher son chèque du mois à la Caisse Pop et régler ses factures, s'est-il dit. Il ne serait plus forcé d'attendre chaque fois la visite de Sucrette. Au retour de la rue Laurier, elle a cuisiné un plat chaud qu'il mangera tout à l'heure en tirant sa berçante jusqu'à la table. Elle lui a bien recommandé de ranger au frigo les restes du plat qu'il n'aura qu'à réchauffer demain. Elle lui a dit des tas d'autres choses qui auraient troublé saint Augustin qu'un rien bouleverse, pauvre homme, et qui n'ont pas laissé Popa indifférent. Il a cru qu'il pouvait demander à Mimi de venir s'asseoir sur ses genoux. Quelques instants seulement! Le temps de se sentir un peu! Elle était pressée, elle n'avait pas le temps. Il lui a expliqué qu'il a toujours aimé prendre ses enfants sur ses genoux, que Moman les a toujours encouragés à s'asseoir sur leur père. Elle s'est mise à parler d'autre chose. On annonce de la neige pour demain, et elle doit faire du ski de fond avec son ami du côté de Mascouche. Elle lui a suggéré de s'exercer au sport lui aussi pour vivre longtemps et garder l'esprit clair. Se moquait-elle de lui? Selon Mimi, il devrait quitter sa chaise de temps à autre et marcher de la porte de la rue à celle de la ruelle, puis, plus tard, de la rue Saint-Grégoire à la rue Laurier. Popa qui pendant l'hiver ne sort pas de la cuisine s'est contenté d'un engagement vague.

— Attendons Pâques, si jamais je me rends là.

— Vous allez vous y rendre, Grand-Popa, je m'en occupe.

Il ne demande qu'à la croire. Pâques passées, il ne craindra plus de rester bloqué dans le tunnel blanc de l'hiver. L'air devient doux partout, on peut vivre sans effort et respirer sans fin.

Lorsque Mimi a parlé de partir, il a voulu la retenir. Qu'avait-elle à se presser tant? On vient à peine de se connaître! Il a un peu perdu la tête, il l'a priée de s'asseoir à table et d'accepter une tasse de thé avec un morceau de gâteau de Moman. Elle avait bien mérité ça. Il s'est même levé, sans s'occuper de ses pieds enflés qui l'étaient déjà moins, afin de mettre de l'eau à chauffer. Il cherchait dans l'armoire du haut le gâteau de Moman. D'autres grands-pères, d'autres grands-mères attendaient Mimi sur le Plateau Mont-Royal, elle ne pouvait venir ici plus de deux fois par semaine et donner plus de deux heures à la fois. Le temps de Popa était passé. Il a voulu faire pitié, peut-être a-t-il fait horreur.

— Va-t-en pas tout de suite, voyons! Laisse-moi pas tout seul!

Tout en rangeant ses souliers, ses gants, son tablier dans son sac à dos, elle a expliqué qu'elle devait partir maintenant, mais qu'elle reviendrait si le CLSC est d'accord. Elle s'est sauvée au vestibule chausser ses grosses bottes d'ouvrier de la construction. Les vieux sont dégoûtants avec leurs vieilles faces d'enfants vicieux. Il s'est enfoncé dans sa berçante et a ouvert saint Augustin qui met si bien en garde contre les tentations du monde. «Je vins à Carthage, et partout autour de moi bouillait à gros bouillons la chaudière des amours honteuses.» Ainsi commence le livre troisième qu'il aurait dû lire plus tôt. Mimi l'avait arraché à sa bonne immobilité qui est un attribut divin d'après le saint homme. Il avait été infidèle à sa berçante, et ne parlons pas de Moman. Il s'était lavé à grande eau dans l'espoir de retrouver, intacte sous la crasse, sa jeunesse. Il avait écarté ses défenses et ses refus. Il avait craqué comme une statue de glaise sous le soleil d'été. Pour rien.

Elle est revenue dans la cuisine avec ses chandails et ses manteaux. Pendant qu'elle s'habillait, couche par dessus couche, il ne lui a pas adressé la parole et n'a pas répondu à ses questions. Il s'est contenté de faire horreur, il a seulement, à la dérobée, glissé un œil au-dessus du saint homme jusqu'à sa petite-fille, la petite gueuse. Maintenant qu'il n'entend même plus ses pas dans l'escalier branlant, il regrette de n'avoir pas répondu à ses salutations, il a honte de ses phantasmes de vieux cochon retraité; saint Augustin était comme ça. Reviendra-t-elle malgré tout comme elle l'a promis? Le CLSC sera-t-il d'accord? Le ciel seul le sait. Il voudrait que sa cuisine et lui-même sentent toujours aussi bon. L'odeur de la propreté et de la jeunesse. Une odeur oubliée.

IV- Retour de Beauce

Popa s'est aperçu qu'il connaissait par cœur le film qu'il suivait depuis vingt minutes au canal 10. Sans doute l'avait-il vu trois ou quatre fois comme la plupart des longs métrages d'après-midi. Sans bouger de sa berçante, il a poussé le télésélecteur et tourné d'un canal à l'autre jusqu'à l'étourdissement, puis éteint. Tout un après-midi face à rien. Il s'est ouvert une bouteille de bière, sa première de la journée. Il essaie d'en boire moins. Il a vérifié la date sur le calendrier que Mimi a fixé au mur, près de la porte. Le 20 janvier. Ce n'est pas aujourd'hui la visite de sa petite-fille. C'est une journée de neige, de froid, de vide.

Il a ramassé *Les Confessions* qu'il a feuilletées, s'arrêtant parfois, sans raison, sur une phrase. «Vous cherchez une vie heureuse au pays de la mort: elle n'y est pas.» «Orateur actif, il distribuait alors à ton peuple la fine fleur de ton froment, l'huile riante, le vin qui, sans produire l'ivresse, enivre.» Il a rêvé à cette étrange soûlerie en reprenant une gorgée de bière. Il faudrait qu'il en lise des passages à Moman, elle trouverait ça beau aussi, quoique Augustin lui paraîtrait, par bouts, bien scrupuleux. Popa et Moman n'ont pas attendu, comme le saint homme, d'avoir trente ans passés pour demander le baptême, ils l'ont reçu à la naissance; alors ils ne s'énervent pas, eux, ils ne se croient pas obligés de montrer du zèle comme des petits nouveaux, de tasser ceux qui étaient déjà là, de leur faire la leçon et de prendre toute la place par peur de n'en avoir aucune. Popa s'est trouvé bien mesquin. Il est retourné au livre IV et il a relu à voix basse ce que le saint homme écrit de ses amis.

« Il y avait chez eux d'autres agréments qui me prenaient encore davantage le cœur : c'était de causer et de rire avec eux, c'était les complaisances d'une bienfaisance mutuelle, la lecture en commun des livres bien écrits, les plaisanteries, les égards réciproques ; quelquefois un désaccord sans rancune, comme on en a avec soi-même, dissentiments rarissimes qui sont le sel d'une entente habituelle ; c'était d'instruire et d'être instruit tour à tour ; le regret impatient des absents, l'accueil joyeux fait à ceux qui arrivent. Ces témoignages et d'autres de même sorte, qui s'échappent des cœurs aimants et aimés, par le visage, la langue, les yeux, par mille gestes gracieux, sont comme un foyer où les âmes se fondent et de plusieurs n'en font qu'une seule. »

Il a regretté son mépris de vieux baptisé. Lui qui est seul dans sa cuisine, face à rien, il n'a pu s'empêcher d'envier des amitiés pareilles.

Afin d'aider les heures à passer, il a fait les exercices suggérés par Mimi. « Étirez-vous, Grand-Popa, sur la pointe des pieds, le bout des orteils, levez les bras, plus haut, encore plus haut, jusqu'à toucher le plafond. » On n'y arrive pas du premier coup. Ensuite, il s'est mis à attendre demain, puisqu'elle ne vient pas aujourd'hui. Petite compensation : les jours sans Mimi, il reçoit la Popote volante. Il était déjà en train de l'oublier. Vers midi, la dame de la Popote a sonné, est entrée, a mis la table, a fait de beaux sourires à Popa comme aux bébés dans les pouponnières, est repartie avec son panier, rien que sur une peanut, sur les chapeaux de roues comme on dit dans les films américains du canal 10. Qu'y avait-il au menu? Du poisson? Du macaroni? Il ne s'en souvient plus, mais c'était bon, très bon. Deux fois par semaine, la Popote volante, un don du ciel dirait le saint homme, lui apporte un repas chaud qu'il reçoit sans faire de manières. Il n'est que temps qu'on s'occupe des vieux.

Pour que Mimi puisse revenir après le jour de l'An, il a dû par ailleurs accepter la visite du médecin et de la travailleuse sociale qui souhaitaient mettre à jour son dossier. Une achalante et un Ti-Jos-Connaissant. Le médecin a ordonné ceci, recommandé cela. Il se moque des docteurs. Il obéit parfois à Mimi parce qu'elle est attachante sans être tyrannique. Il s'astreint, par exemple, à quelques exercices d'étirage et de prolongement qui ne mènent nulle part, mais qu'elle a suggérés. Pour lui faire plaisir, il boit moins de bière. Résultat : il s'endort en se mettant au lit et, le jour, il ne réussit plus à fermer l'œil, de sorte que les après-midi n'en finissent plus. Lorsque Mimi est là, il ne songe pas à dormir, il n'a pas les oreilles et les yeux assez grands, il se sent des envies de courir derrière elle. Quand elle le quitte, c'est comme si ses jambes lui manquaient soudain, le sang oublie d'y circuler, on dirait ; il ne reste plus à Popa qu'à se ramasser dans sa berçante et à boire sa bière malgré les bonnes résolutions.

La cystite a fait des siennes. Il a pris le vase sous la berçante. Sans se lever, en se glissant seulement sur le bord de la chaise, il a soulagé son envie, puis tout remis en place.

La maison est devenue bien grande. Trop pour un grand-popa seul, selon Mimi. Autrefois ici on manquait d'espace, on n'avait qu'à pousser une porte, lui semble-t-il, pour se heurter à quelqu'un, au point que Popa s'était souvent plaint à Moman qu'il ne leur restait plus d'intimité. Aujourd'hui les portes ouvrent sur rien et il dispose de l'intimité la plus grande qu'il ne partage qu'avec lui-même. La maison s'est mise à se dilater. Il a l'impression de s'y perdre. Quand il est installé, comme maintenant, dans sa berçante, il lui semble que l'ancien boudoir se trouve à des milles, des lieues, des kilomètres pour parler un langage contemporain. Mais s'il n'avait pas cette grande maison, où garderait-il tout ce que la vie lui a laissé? Et puis, même si le boudoir lui semble loin, quelle importance? Il n'y met jamais les pieds. Dans l'ancienne chambre des garçons non plus. Ainsi la maison ne se salit pas, la plupart des pièces demeurant fermées. Cela permet d'économiser le chauffage, mais si Mimi se risque dans le boudoir, Popa l'entend aussitôt s'exclamer : « Quelle glacière! » Il aime bien quand Mimi le prie de prendre son bain, qu'elle fait couler l'eau d'avance pour réchauffer la pièce, qu'elle le conduit jusqu'à la salle de toilette; il s'appuie fermement sur elle, son bras entoure les épaules de Mimi qui dégagent une douce chaleur, et cela éveille des souvenirs qu'il avait crus morts. Elle est en train de changer sa vie. Chère, très chère petite-fille! Parfois Popa l'aime tellement qu'il ne sait plus si elle est sa fille ou sa mère.

Le coup de sonnette lui coupe le souffle. Il n'attend personne. Puis il veut croire à l'impossible. Il ouvre son micro, mais méfiant par habitude, demande :

— C'est toi, Mimi?

— C'est Titoine.

Son fils cadet! Le préféré de sa mère! Un enfant insupportable malgré ses trente ans! Ne pouvait-il téléphoner, s'annoncer avant de sonner? Popa avait devant lui un bel après-midi serein occupé de rêveries douces; cela l'irrite de se faire arracher à son temps immobile et rappeler ses devoirs de père.

— Entre, mon Titoine. Tu sais que ton Popa descend jamais de son trône.

Son fils garde sa voix traînante ; a-t-il encore sa grande barbe molle ? Il prétend que sa voix sans vigueur rassure les filles ; quand elles commencent à se méfier, c'est trop tard. Ce n'est pas le jour de Mimi, et tant mieux ! Popa préfère qu'elle et Titoine ne se rencontrent pas. Son petit dernier n'est pas méchant, mais il n'a pas deux sous de sérieux.

— Qui c'est, Mimi ? demande Titoine en entrant dans la cuisine.

Il a toujours sa barbe folle et sa voix molle.

— Une petite voisine qui me rend des services.

Popa n'est pas à confesse. On en dit toujours trop, surtout à des enfants qui trichent en regardant dans votre jeu.

— Sacré Popa !

Et Titoine, à pas traînants, fait le tour de la table, glisse le doigt sur la nappe de plastique comme pour ramasser une poussière. Il ne grandira plus. Popa souhaitait que ses fils atteignent six pieds, deux mètres. Ils resteront de taille médiocre comme lui, alors que les filles... Elles tiennent de leur mère.

— C'est propre, ça sent bon, tu as de belles décorations. Qui c'est qui a fait ça ?

— Je me débrouille.

— Ta petite voisine ?

Popa ne réagit pas d'un cil.

— Puisque tu es là, prends-toi une bière dans le frigo et apporte-m'en une.

Titoine obéit sans hâte. Après quelques gorgées :

— Les autres sont pas arrivés ?

Popa ne croit pas nécessaire de répondre et boit aussi ses quelques gorgées, il n'est pas plus pressé que Titoine.

— Ils s'en viennent pour te faire une surprise. Je me pensais en retard. Dis-leur pas que je l'ai dit, ils vont me tuer.

Ceux qui connaissent ses enfants superficiellement ne leur imagineraient pas des mœurs pareilles.

— J'ai eu bien de la misère à stationner mon tacot, et je sais pas s'il va repartir.

Popa se berce un peu.

— Ça te fait quel âge?

— Ah! Moi…, il y a longtemps que je compte plus. Votre Popa est au-dessus de ça. J'attends que Moman revienne pour me remettre à compter.

— Parle pas comme ça!

— Je blâme pas ta mère de passer le mois de janvier en Floride avec sa sœur. Elle peut pas souffrir l'hiver. Seulement, si elle était ici, elle serait bien contente de te voir, toi, son petit dernier, son préféré. Ah! si le beau temps peut revenir et la ramener!

— Popa, parle pas comme ça.

Titoine se lève, fait en sens inverse le tour de la table, examine les portes des armoires, gratte la peinture avec l'ongle, puis dit mollement:

— Je voudrais pas être poigné comme toi, mon pauvre Popa, seul comme un vieux singe dans ta grande cuisine jaune.

— Saint Augustin est jamais bien loin.

— Un autre voisin qui te rend des services?

— *Les Confessions* de saint Augustin. C'est un livre que j'ai trouvé dans ton ancienne chambre. Il était mêlé à des manuels de classe, à des livres de recettes de Moman. C'est-i' à toi?

— Je pense pas.

— Tu connais ce livre?

— Vaguement. C'est croustillant au moins?

— Je me demande comment il a abouti dans la famille. J'en lirai plus d'autre, comme je lirai plus d'autre journal que mon vieux *Devoir*, on s'embarque pas dans du neuf à mon âge.

— Ce qu'il te faut, Popa, c'est la vie à la campagne.

— L'hospice?

— Bien mieux que ça. Je viens de passer les fêtes chez des amis qui ont une ferme dans la Beauce. J'ai vécu là quelques semaines de vraie paix, de santé, d'équilibre par une alimentation naturelle. On mangeait rien que de l'agneau frais et des oeufs du matin. C'est ce qu'il te faudrait.

— J'ai été mireur d'œufs dans mon temps. Le savais-tu?

— Tu te cuisais des œufs au miroir?

— Laisse faire.

— Là-bas, j'ai visité une petite maison de rêve près des Chutes. Verte. À louer ou à vendre, pas cher. J'ai tout de suite pensé à toi et j'ai voulu t'en parler avant que les autres arrivent avec leurs histoires.

— Habiter près des chutes, Moman trouverait ça trop bruyant.

— Tu pourras pas continuer longtemps à vivre dans ta cuisine jaune, le nez collé à la ruelle. C'est malsain, c'est tassé, j'ai eu toutes les peines du monde à parquer ma Toyota.

— Encore chômeur?

— C'est la vie en fin de compte.

Titoine ne prend pas le chômage au tragique. Il y a tellement de choses plus graves, en fin de compte, raconte-t-il à son père. Le chômage lui donne des libertés que le travail lui ferait perdre. L'amitié, qui est un des fondements de la culture de sa génération, ne se développe pas sans loisir, et la mari ne se cultive bien qu'à la campagne. Ah! raconte-t-il encore, s'arrêter pendant un an dans la petite maison verte près des Chutes, et faire seulement de la peinture, ou écrire un roman, ou une pièce de théâtre, quelque chose de durable, en fin de compte, et qui permette ensuite pendant des années d'obtenir des bourses du Conseil des arts et du ministère des Affaires culturelles!

— Avec l'argent que tu as de côté, Popa, tu pourrais facilement t'offrir un environnement écologique, une belle vue sur la rivière, un petit jardin en arrière où je pourrais semer du pot. Je mettrais mon œuvre au monde et tu aurais rien qu'à te laisser vivre : je m'occuperais de toi.

Popa n'a pas refusé d'aller en banlieue il y a vingt ans pour s'enterrer à la campagne aujourd'hui. Et tout le temps des fêtes, il a été aussi seul ici qu'au fond de la campagne. Il ne s'en plaint pas, il ne s'est pas ennuyé, et ça prouve qu'il est capable de s'occuper seul de lui-même. Titoine semble surpris, il ne pouvait pas venir, mais il était convaincu que les autres n'abandonneraient pas leur père dans des jours pareils.

— Ça faisait de la peine à Moman que vous soyez pas là, elle s'habitue pas.
— Popa, arrête de jouer dans mes psychoses.

C'est pour Popa, pour son anniversaire, que Titoine est revenu, qu'il a quitté ses amis, les repas écologiques, la bière brassée à la maison, la mari à volonté et la liberté des enfants du Verseau : la dévotion filiale, ça existe et cela a sa place dans une problématique écologico-sociale en fin de compte. Il est revenu aussi pour toucher son chèque d'assurance-chômage. Il découvre qu'on lui coupe ses prestations. Couic! Comme ça. Pourtant l'assurance-chômage, c'est un droit. L'État n'a rien de plus pressé que de vider les poches des citoyens quand ils ont quelque chose dedans, mais l'État ne se gêne pas pour se soustraire à ses devoirs le moment venu. Dans les théories de Marx, l'article avec lequel Titoine est le plus d'accord, c'est celui qui traite de l'abolition de l'État. Marx ne précise pas cependant qui verserait alors les chèques d'assurance-chômage. Titoine s'ouvre une autre bière. Il est aussi revenu pour le début du trimestre à l'UQAM. Il avait décidé de suivre un cours en statistique, ça ne peut pas nuire. Il est arrivé trop tard pour l'inscription. Le monde est de plus en plus bardé de règlements. Plus moyen d'aller nulle part et de rien faire, en fin de compte. Plus qu'à crever de faim au frette. Depuis quinze jours qu'il est de retour, il est pas mal découragé. Son auto dévorée par la rouille est à la veille de le laisser. D'ailleurs il ne pourra pas payer la prochaine prime d'assurance. Il comptait sur sa blonde pour rencontrer ce paiement, elle l'a laissé aussi.

— Qu'est-ce que je peux faire pour t'aider, mon Titoine?
Père un jour, père toujours. Moman lui en voudrait s'il ne faisait pas tout pour le petit dernier qui a toujours couru moins vite que les autres, qui a appris en naissant à compter sur les plus grands et qui ne désapprendra plus jamais ça qui a pourtant cessé d'être vrai.

— Ah! Popa, je sais de moins en moins ce que je veux.
Titoine est déchiré. Lui qui refuse l'exploitation de l'homme par l'homme, qui n'accepterait jamais de tirer un profit de la vente de sa maison, s'il en avait une, ou de l'embauche d'employés, s'il en embauchait, il aimerait néanmoins s'offrir une voiture qui ne soit pas rongée de rouille et dont le moteur consente à démarrer par grand froid. Lui qui, pour s'opposer à la violence et changer le monde, mais en douceur, s'est inscrit dans d'innombrables clubs coopératifs et sociétés bénévoles, il estime qu'il serait temps que les gens se fâchent un peu.

— Je voudrais vivre dans un monde harmonieux, un monde doux, un autre monde, Popa, et pas demain, tout de suite.
— Parle pas en pleurant, Popa comprend rien. Tu parles ou tu pleures, choisis.

Toute la difficulté est là. Il aime la nature, il milite pour l'écologie, mais s'il entre dans un sous-bois, il a l'impression d'étouffer.

— J'ai peur de tout et ma blonde me lâche. Pourquoi, Popa?

Comme il n'en finit plus de renifler et de lyrer, Popa l'invite à s'asseoir sur ses genoux.

— Voyons, Popa! J'ai plus cet âge-là, en fin de compte.

— Vide ton cœur.

Popa connaît bien son Titoine. S'asseoir sur les genoux de son père reste son plus cher désir. On se berce, et c'est comme si on partait à reculons. Popa a un don pour deviner ses enfants. C'est par là qu'on est père.

— Pleure dans mon cou, mon Titoine, ça me gêne pas.

— Popa, tu parles comme si j'étais encore tout petit.

— Pour un popa, ses enfants sont toujours tout petits. Pleure, ça va t'aider.

V- Bonne fête, Popa

Je vais vous dire, se dit Popa en se versant un verre de rhum, c'était spécial comme fête, je n'en souhaite de pareille à personne. Tout avait bien commencé pourtant. Titoine assis sur les genoux de son père achevait de se vider le cœur. En berçant son bébé, Popa oubliait le passage des années et les absences de Moman. Il y a eu les pas dans l'escalier, le coup de sonnette. Les autres! Titoine a couru vers la salle de bains en suppliant de les faire attendre. Il voulait d'abord se baigner les yeux dans l'eau froide pour qu'on ne voie pas qu'il avait pleuré. Popa l'a rappelé.

— Prends le pot de chambre. Renverse rien.

Popa ne souhaitait pas les scandaliser. Il a avalé une gorgée de bière et déposé la bouteille contre la chaise. Au deuxième coup de sonnette, il a poussé le bouton qui ouvre la porte. Il ignorait tout des cachotteries de son Titoine. Popa a reconnu le piétinement joyeux dans le corridor, la course, les rires d'autrefois, mais surfaits, un peu joués. Sucrette, Titomme et Surette, les bras chargés de colis, se sont arrêtés à l'entrée de la cuisine pour chanter : «Bonne fête, Popa». La figure mal essuyée, Titoine est sorti des toilettes. Il a chanté aussi, et avec tant de conviction que ses pleurs ont repris. La chicane a éclaté.

— Qu'est-ce qu'il a?

— Il a toujours été braillard.

— Tu devais nous attendre chez toi. C'était fermé. Personne!

Titoine a essayé de se défendre.

— Je pensais que c'était ici qu'on se rencontrait.

— Qu'est-ce que tu es venu raconter avant qu'on n'arrive?

Quand il était petit, Titoine espionnait ses sœurs dans la ruelle, puis rapportait à Moman ce qu'il avait vu. Ses sœurs disent qu'il inventait tout. Il a toujours rêvé de faire des films. Popa a été obligé d'intervenir avant qu'ils ne se prennent aux cheveux. C'était seulement le commencement.

— Bon! C'est pas l'anniversaire de Titoine, mais le mien.

Peut-être aurait-il dû les laisser s'étriper, il aurait la paix maintenant. Les enfants se sont dardés sur lui.

— Tu es bien beau, Popa!

— Je me suis lavé la tête.

— Et tu sens bon!

— J'ai pris mon bain.

— Et tes jambes?

— Elles désenflent.

— Qu'est-ce qui est arrivé à la maison?

— Rien.

— Elle est belle, elle sent bon. Comme toi.

— C'est normal.

— Qui a décoré la cuisine?

— Votre mère, voyons! Vous reconnaissez pas ses guirlandes?

— Popa, parle pas comme ça.

Les deux filles, l'air éploré, se sont élancées vers leur père qui a saisi sa bouteille de bière avant qu'elles ne la renversent. Elles sont énervantes! Surette qui a les jambes plus longues s'est jetée à son cou la première, elle l'a embrassé avec fougue, elle a amorcé un virage pour s'asseoir sur ses genoux; Surette, d'un coup de hanche, l'a déséquilibrée et s'est saisie de son père. Tout ça très vite. Popa a protesté. On le secouait comme une poupée de guenille. Titomme a glissé tout bas aux filles en les écartant :

— Vous devriez avoir honte de le brasser de même.

Puis il a serré la main de son père en parlant fort et en articulant trop.

— Bonne fête, Popa. Titomme est bien content d'être avec Popa.

Comme s'il parlait à son bébé. Quand Popa leur a dit, pour être aimable, qu'il était d'autant plus heureux de les voir qu'ils ne viennent pas souvent, ses enfants se sont sentis mal.

— Dis-moi pas que tu n'as vu personne à Noël!

Tous quatre ont tenté de s'expliquer en même temps. Il a dû mettre de l'ordre. Chacun son tour, l'aîné d'abord.

Titomme est obligé de jouer au golf dans les Antilles au temps des fêtes afin de décomprimer et d'oublier les chiffres. Prescription du médecin. Le premier janvier, il se sentait bien perdu. Sucrette, mais vous le savez, se trouvait chez les siens dans son chalet de Saint-Faustin. Elle avait invité son père qui a refusé. Popa leur a lu alors un petit bout des *Confessions* qui parle d'un «évêque manichéen nommé *Faustus*, grand piège du démon. Beaucoup se laissaient prendre à l'appât de son doux langage.» La grande Surette ne se souvenait de rien. Elle était alors en orbite dans le bas de Québec avec son compagnon et les amis de son compagnon, des joueurs de cartes, des sniffeux de colle. Titoine avait aussi son excuse.

— Je pouvais pas être ici, j'étais dans la Beauce.

Comme d'habitude, son frère et ses sœurs ont refusé de le croire. Ensuite il y a eu les cadeaux. Titomme apportait un rhum des Antilles. Sucrette s'en est indignée. Elle prétend que Popa perd la tête dès qu'il met le nez dans le rhum. Où a-t-elle pêché ça? Le cadeau de Sucrette, c'était des pantoufles en phentex, ça ressemble à de la laine et ça se tricote vite. La grande Surette avait déniché le sien dans une boutique de la rue Duluth, un cadeau si bien emballé dans du papier design, avec tant de rubans, de nœuds, de boucles qu'on n'aurait jamais imaginé que c'était un foulard en batik, pas très pratique, mais c'est l'intention qui compte. Les cadeaux des enfants, ça vient du cœur, mais ensuite on est pris avec. Sauf le rhum. Titomme et les deux filles se sont tournés vers Titoine.

— Et toi?

Titoine n'apportait rien, et Popa a essayé de le couvrir en leur confiant que Titoine lui avait offert une belle petite maison dans la Beauce, mais il préfère rester rue Fabre. Popa n'avait pas prévu la tempête qu'il a déclenchée.

— Je savais qu'il était pas arrivé le premier pour rien.

Titomme et ses sœurs ont accusé Titoine de leur avoir joué dans le dos. Ce n'est pas une maison dans la Beauce qu'on avait convenu d'offrir. Titoine a prétendu que sa proposition aurait été la moins douloureuse si leur père l'avait acceptée. Il y a eu un silence. Popa a éprouvé un petit pincement prémonitoire. Il a commencé à se douter de ce qui se préparait et à manœuvrer en conséquence. Il les a avertis qu'il n'accepterait pas un cadeau de plus, c'était assez. Les enfants ont fait semblant de ne pas l'entendre, ça leur arrive de plus en plus souvent. Ils ont sorti un gâteau, dressé une table de fête avec une nappe de couleur et des serviettes décorées de feuilles de gui et de Santa Claus. On aurait cru qu'ils ne demandaient qu'à le voir heureux. Ils ont allumé les bougies sur le gâteau et prié Popa de les éteindre d'un seul souffle pour que son vœu se réalise. Popa ne souhaitait pas quitter sa chaise berçante. Il se sentait un peu nerveux, il peut l'avouer maintenant. Sucrette a insisté.

— Viens, Popa, c'est ta fête après tout.

Il n'avait pas faim et il se trouvait très bien dans sa berçante. Il a plutôt demandé à Titoine de lui apporter une autre bière. Il a bien vu qu'il dérangeait leur mise en scène. Pour des enfants aimants, un père comme Popa, ce n'est pas un cadeau. Sucrette s'est approchée avec le gâteau. Elle a dit d'un ton de chefferesse :

— Souffle!

Il a soufflé les cinq chandelles et les enfants ont applaudi. Elle a rapporté le gâteau sur la table. Popa a bu sa bière. Sucrette a coupé le gâteau et Surette a versé le thé. Ça ne parlait pas, ça ne mangeait pas. Tout à coup Sucrette a pris sa chaise et elle est venue s'asseoir à côté de son père.

— Popa.

Il a su ce qu'on voulait lui offrir et dont Sucrette s'occupait depuis des semaines.

— Aimerais-tu ça, Popa, une grande chambre ensoleillée qui donnerait sur la rivière Des Prairies?

— Il n'en est pas question.

Elle a expliqué les avantages qu'il trouverait dans un château de l'Âge d'or entre le boulevard Gouin et la rivière. Service d'infirmière et de pharmacien, repas chauds servis dans les chambres...

— À quatre heures de l'après-midi, leur a rappelé Popa qui est au courant.

— ...le ménage, la verdure, une salle commune pour la gymnastique deux fois par semaine, des cours d'allemand et de peinture à l'huile, de quoi se rendre au dernier souffle sans avoir vu le temps passer.

— Il n'en est pas question.

Il veut le voir passer.

Alors tous ont entrepris de le convaincre qu'il ne pouvait plus demeurer rue Fabre. Sa cuisine est tellement déprimante! La peinture jaune des murs lève comme une vieille peau et ferait fuir n'importe qui.

— Pas moi.

Et son couvre-plancher rapiécé! Et l'évier! On a beau le frotter, il paraît toujours sale parce que l'émail usé laisse voir la fonte.

— Et après?

Dans un château de l'Âge d'or tout neuf, il serait nourri, lavé, dorloté, libéré des soucis matériels, délivré des imprévus, de l'inconnu, des décisions à prendre. Ce serait tellement reposant pour lui et rassurant pour eux! À soixante-quinze ans, Popa est à l'âge où on déménage. Il leur a répondu qu'il n'a pas fait des enfants avec Moman pour que ces mêmes enfants l'enferment un jour à l'hospice.

— Popa, ne parle pas comme ça.

Ils veulent même lui montrer comment parler. Le mot « hospice » a disparu de leur dictionnaire. Ils ne connaissent que des châteaux, des manoirs, des résidences. Ils l'ont supplié de comprendre qu'il ne peut plus demeurer seul dans sa grande maison de la rue Fabre, qu'il les fait mourir d'inquiétude tous les jours. Il leur a proposé, pour gagner du temps :

— Attendons que Moman revienne, j'en discuterai avec elle.

Il a vu les regards atterrés qu'ils ont échangés. Titomme a dit tout bas :

— Il est de plus en plus perdu!

Popa se reverse un peu de rhum. C'est du bon. Un jour avec des amis... Mais restons-en à ce que mes enfants souhaitaient m'offrir, se dit Popa. Il se rend bien compte, en suçant doucement son rhum, que ses enfants ne cherchaient que son bonheur et leur tranquillité. Ils lui ont expliqué qu'il pourrait tomber malade, paralyser, s'accrocher dans une chaise et rester là sur le plancher pendant des semaines avant que Sucrette ne téléphone et ne s'en aperçoive. Ils sont persuadés qu'il est incapable de prendre soin de lui-même, qu'il boit trop de bière, qu'il ruine sa santé, qu'il a besoin de surveillance, qu'il doit quitter sa cuisine pendant qu'il peut encore prendre des décisions, abandonner sa berçante avant qu'on ne l'en tire de force. À un moment, ils ont en quelque sorte placé Popa entre parenthèses, ils se sont mis à parler de lui comme s'il n'avait pas été là, comme on fait au chevet d'un agonisant.

— J'ai toujours peur qu'il oublie d'appeler le livreur de mazout et qu'il se réveille au milieu de la nuit, en plein hiver, sans une goutte d'huile dans le réservoir.

— Il cache tout. Je peux pas mettre d'ordre dans ses papiers. S'il disparaissait aujourd'hui, quel fouillis!

— Il n'en est pas question, leur a-t-il rappelé.

Personne ne l'écoutait.

— Il est trop vieux pour se rendre compte.

— Regarde les bouteilles vides autour de sa chaise.

Ils oubliaient de soustraire celles que Titoine avaient bues.

— Si ça continue, on va être obligés de décider à sa place.

Popa s'est carrément fâché. Il leur a donné l'ordre de sortir, il les a reniés, les a maudits, il s'est mis à parler fort et même à blasphémer. Il a levé sa canne pour les chasser. Ils ne sont pas sortis et Titomme lui a enlevé sa canne. Popa est retombé dans sa chaise, essouflé comme s'il avait couru un marathon. Titomme lui a remis sa canne. Surette et Sucrette ont voulu le caresser, le minoucher et l'embrasser. Il a crié:

— Il n'en est pas question.

Et sa cystite s'est réveillée. Il a glissé sa main sous la chaise pour attraper le pot de chambre, puis il s'est souvenu. Il s'est levé péniblement.

— Où tu vas, Popa?

— Pisser!

— Veux-tu qu'on t'aide?

— Je peux encore faire ça tout seul.

Titoine lui a pris le bras, l'a soutenu jusqu'à la salle de bains avec des attentions, des délicatesses qui ont intimidé Popa. Surette disait en pleurant :

— On est en train de le tuer.

Il a mis le crochet à la porte. Je ne voulais plus les voir. Il s'est assis sur son trône. C'est plus prudent, assis, et plus confortable. Son pipi se montre souvent capricieux et, après s'être annoncé avec éclat, n'en finit plus de se faire attendre. Popa essayait de penser vite. On ne le sortirait pas de force. Ils ne savaient pas tout ce dont leur père est capable. Ça n'aidait pas le pipi à se faire un chemin. Il a regretté de n'avoir pas apporté ses *Confessions*. Il aurait consulté le saint homme. Il a décidé de rester sur son trône, pipi ou pas, jusqu'à ce qu'ils s'en aillent, mais il se trouvait bien seul pour résister à ses quatre enfants réunis. Ah! si Moman avait été là! Elle s'était sauvée encore une fois sans demander l'avis de personne. Elle disait qu'elle avait besoin de visiter sa sœur Fabi à Victoriaville, mais elle ne le disait qu'au retour. Maudite Moman des fois!

Dans la cuisine, ils ont fini par se poser des questions. On a frappé doucement à la porte. C'était Sucrette.

— Popa, ça va-t-i' ?

Il n'a pas répondu. Surette est venue frapper.

— Es-tu malade, Popa?

Il a gardé le silence. On a secoué la poignée. Il a entendu Titoine :

— Il a mis le crochet.

Titomme a frappé avec force.

— Popa, il faut que tu sortes, je suis pressé.

Là, Popa a répondu :

— Je veux plus vous voir, allez-vous-en, laissez-moi pisser tranquille.

— Sors, Popa, on va se parler.

— Je sortirai pas tant que vous resterez dans ma maison.

Là, on a commencé à négocier comme du temps de l'Hôtel de ville. Si vous aviez vu ça! Il dictait ses conditions tout en mesurant les limites de son pouvoir. Une vraie partie de poker qu'il aurait trouvée excitante si l'enjeu n'avait pas été l'hospice. Les filles ont rapidement convenu qu'on ne pouvait déménager leur père en plein hiver. D'offre en contre-offre, de concession en compromis de part en part de la porte, Titomme a admis qu'on aurait d'abord à trouver un sous-locataire. Titoine a convenu que si on attendait avril, Popa s'effraierait moins d'une transplantation dans la Beauce. À propos de la maison au bord de l'eau, les enfants se sont querellés. Une bonne affaire. Popa a obtenu leur promesse qu'on lui ficherait la paix jusqu'au printemps. Il se dit qu'à Pâques, il négociera un prolongement de la convention. Je vais les menacer de me laisser mourir de faim dans la salle de bains.

Il est revenu dans la cuisine et s'est laissé porter en triomphe par ses enfants jusque dans sa berçante. Il a demandé une autre bière que Sucrette s'est hâtée d'apporter. Titoine a placé le pot de chambre sous sa chaise sans que Sucrette s'oppose. Les enfants ont mangé leur gâteau bien gentiment, nettoyé leurs miettes, lavé la vaisselle et tout rangé. Ils sont partis en promettant de continuer à s'occuper de leur père, ce dont il se passerait volontiers.

Depuis qu'il est seul, il tète doucement son rhum de la Jamaïque. Rien ne presse. Il a jusqu'au printemps au moins. Il sait cependant une chose qu'il ne devra plus oublier : ses enfants sont sérieux.

VI- Les maudits enfants

« Telles étaient mes pensées et vous étiez à mes côtés ; je soupirais et vous m'entendiez ; je flottais et vous me gouverniez ; j'allais par la grand-route du siècle et vous ne me délaissiez pas. » Une grosse paire de ciseaux sur la page, il lit tout en mangeant. Ces jours-ci, il s'en tient au livre sixième qui est plein d'enseignement et de distraction comme tout bon livre. Popa termine son repas sur le coin de la table. Mimi et la Popote volante lui préparent des choses trop compliquées pour qu'il puisse les consommer en se berçant. Il se sent plus seul à table cependant que dans la chaise berçante, son trône, dont on voudrait l'arracher. Il mange par petites bouchées capricieuses. Moman dirait qu'il grappille. Il lit de la même façon : une phrase par-ci, une phrase par-là. « Vous qui n'avez pas de membres, les uns plus grands, les autres plus petits, mais qui êtes tout entier partout sans être nulle part tout entier. » Ça accompagne très bien la Popote volante, ça la fait passer en douceur. Il vide son verre. De l'eau seulement. C'est très sain. Il s'en souviendra à jamais s'il se rend jusque-là. Mardi 4 février. Jour de Mimi. Elle devrait arriver d'un instant à l'autre. Elle est toujours en retard. Il songe à partir. Mais comment ? Il en a parlé à Mimi qui a promis son aide.

Il dessert la table sans se presser. Deux semaines déjà depuis la surprise-partie. Après la visite des enfants, il a d'abord été malade au point de vouloir mourir tout de suite. Mal de cœur, mal de tête, colite, cystite. Il avait bu trop de bière et trop de rhum. Autrefois de tels excès l'auraient à peine dérangé, il serait parti inspecter abattoirs et marchés sans le plus petit malaise. Maintenant au moindre excès, il a le corps truffé de sifflets, de bombardes, de cliquetis, de grincements. Ça gronde et se lamente sur tous les tons. Le lendemain de la fête, c'était l'enfer. Mimi s'est inquiétée. Qu'est-ce qui vous arrive, Grand-Popa? Il n'avait pas envie de parler. Il a traversé des jours de grande noirceur et de complet silence. Selon le saint homme, le silence n'est pas le vide et l'invisible n'est pas le néant. Ce n'en est pas loin.

Je vais vous dire, se dit Popa en s'installant dans sa berçante après s'être assuré que le pot est bien sous le siège au cas où, quoiqu'il pisse moins depuis qu'il boit moins, ma perplexité était grande. Voilà pourquoi il est demeuré quelques jours sans ouvrir la bouche, demandant à son fort intérieur comment éviter le pire et ne recevant que réponses confuses. Une chose était sûre : il ne souhaitait plus mourir tout de suite.

Ah! s'il avait pu parler de tout cela avec Moman! Il en aurait profité pour lui reprocher ses absences et pour faire l'amour encore une fois. Certains soirs, certains matins surtout, il est convaincu qu'il pourrait. Moman s'est dérobée.

Il a cherché de l'aide dans son *Devoir* du 7 juillet. Liverpool craignait des émeutes, les Brigades rouges exécutaient un autre otage. Il n'a pas trouvé de modèle pour sa modeste vie privée.

Il aurait aimé entretenir le saint homme de ses inquiétudes. Augustin parle sans cesse et n'écoute jamais. Peut-on agir autrement quand on s'enferme dans un livre?

50

Il a essayé de se rappeler comment sont partis ceux qu'il a connus. Dans un village de l'Outaouais, son grand-père, assis à sa fenêtre, a longtemps regardé descendre la rivière qu'il ne remonterait plus et n'a jamais pris la décision de s'en aller : on l'a emmené. S'il ne se hâte pas de partir de lui-même, on viendra le chercher avant peu, comme son grand-père, et on le traînera de manoir en hospice jusqu'à sa dernière demeure. Ses enfants sont sérieux.

La semaine dernière, il a parlé à Mimi de leurs idées. Selon elle, le gouvernement est de moins en moins en faveur des hospices, ça lui coûte trop cher, il ne s'y résout que pour les vieux qui n'ont plus de membres, pour ceux d'entre eux qui se répandent partout et ne sont nulle part tout entiers comme le Seigneur mon Dieu, pour les très-très vieux qui ont touché le fond de leur âge d'or. Il n'en est pas là tout à fait.

Il tourne la tête du côté de la ruelle. Deux jours plus tôt, c'était la Chandeleur. La lumière grandit, le soleil claque plus souvent et plus longtemps sur la tôle du hangar. Hier, il a approché sa chaise de la porte pour assister et applaudir à ce combat contre l'hiver. Puis il a décroché les décorations de Noël comme chaque année à la Chandeleur. Il a aussi détaché du calendrier la feuille de janvier. Il ne peut rester ici longtemps encore à recommencer les années passées. Popa n'est pas fou, il a vu combien ses enfants sont sérieux. Mais où ira-t-il s'il refuse leur manoir ?

Avec l'aide de sa chère petite-fille, il trouvera bien un endroit où ils ne pourront le rejoindre ni le menacer. Mimi l'approuve de souhaiter sortir d'ici, elle a promis son secours. Elle dit souvent qu'il est trop seul dans une maison trop grande. Ce n'est cependant pas l'avis de Popa. Elle doit se renseigner et lui faire rapport. Aujourd'hui. Tout à l'heure. Elle est la consolation de sa vieillesse, elle éclaire sa cuisine, comme le soleil la ruelle, et elle est en retard comme d'habitude. Le mardi matin, elle a trois heures de cours à l'UQAM. Elle arrive essoufflée, en retard, incapable souvent de donner à Popa les deux heures qu'elle lui doit. Mais il l'aime un peu plus chaque jour. Parfois, il se demande avec inquiétude où cela s'arrêtera, car plus il s'attache à elle, plus il devient fragile, peureux, exposé à tout comme une maison ouverte aux quatre vents. Avant Noël, avant que Mimi ne le remette au monde, il se défendait mieux, il ne prenait pas de risque, il se sentait bien verrouillé, bien coi dans son abri étanche et sûr, quoique ennuyant comme la mort.

On sonne. Avec un grand calme, il ouvre le micro.
— C'est qui?
— Êtes-vous de bonne humeur?
Il télé-déverrouille.
— Entre, voyons!
— Êtes-vous de bonne humeur?
— Quand c'est que je le suis pas?
Ce qu'elle est capricieuse! En plus d'être en retard! Il l'entend crier:
— J'arrive!
Comme si elle soulevait ses jupes pour aller plus vite; mais elle est en jeans, Popa le sait d'avance, avec chaque fois cependant quelque chose de nouveau et de fou dans le costume, comme si c'était fête. Il ne peut pas tenir dans sa chaise à l'attendre, il prend sa canne et se hâte vers le corridor. Cette petite ne le fait pas seulement marcher, elle le fait courir. Elle l'embrasse sur les deux joues.
— Vous rajeunissez, Grand-Popa!
Il se gourme malgré lui.
— Ben oui!
Il n'est pas prêt à se laisser enfermer à l'hospice. Déjà elle enlève ses vêtements d'extérieur. Quelle drôle d'enfant! se dit Popa qui reprend souffle, dos au mur. Elle

s'habille avec ce qui lui tombe sous la main. Titomme la traiterait de pauvresse. D'où vient que cet accoutrement de bric-à-brac lui paraisse si précieux ? Le dernier lainage, le dernier voile levé, elle surgit dans un blue-jeans qui la serre d'une façon gênante, et un chemisier d'un mauve fané orné de dentelles comme pour une grand-mère de Popa. Elle ramasse son sac aux couleurs du Québec et sourit à son grand-père. Il a une grande envie de vivre, rien de féroce, une grande envie douce.

— Vous dites rien. Êtes-vous fâché ?

— Non, non.

Elle lui prend le bras et l'amène vers la cuisine en lui proposant des sorties rue Laurier, des visites dans le vieux Montréal, des pique-niques l'été venu. Pour elle, on ne vit pas si on ne court pas. C'est de son âge. Elle souhaite l'inscrire à des excursions de l'Âge d'or au parc Angrignon ou au zoo de Granby.

— Une minute !

— Vous en faites pas, Grand-Popa, on fera pas tout ça d'un coup. Vous avez enlevé les décorations de Noël ?

— C'était avant-hier la Chandeleur.

— Tout seul ?

Il n'a pas le temps de la ramener à la raison, elle est déjà repartie, elle visite armoires, buffets, garde-manger, se penche, se relève, dresse la liste des besoins.

— Tu as des bien belles petites fesses.

Elle n'entend rien, elle est pressée, elle ramasse le linge et démarre un lavage, elle se met d'accord avec Popa sur les achats et disparaît dans les toilettes.

— Je voudrais que tu passes pour moi à la Caisse Pop.

L'eau jaillit dans la baignoire. Sans les petites fesses, la cuisine s'éteint. Un jeune corps, ça éclaire le monde.

— Vous prendrez votre bain pendant que je ferai les courses.

— Tu es bien pressée de partir !

— Je n'ai pas rien que vous. Il y a d'autres grands-popas, d'autres grands-momans qui m'attendent.

— Les autres m'intéressent pas.

— Je laisse déverrouillé pour pas vous déranger dans votre bain au retour.

— Tu me dérangerais pas.

Elle part d'un grand éclat de rire frais comme un fruit d'ancien temps qui parfume soudain la cuisine, mais Popa n'y reste pas, il suit Mimi au corridor. Elle met ses lainages, ses nuages, son grand manteau flottant qui dissimule ses belles rondeurs. Toute enveloppée de formes souples et de couleurs passées, elle disparaît dans l'escalier. Les petites sphères si mignonnes persistent encore sur la rétine de Popa comme des ampoules de Noël, puis s'éteignent. Il ne sait plus ce qu'il fait là à regarder le corridor vide. Alors il va prendre ses *Confessions* à côté de la berçante, « afin que vous illuminiez mes ténèbres ». Ça n'éclaire pas comme un jeune corps.

L'eau de la baignoire a réchauffé la pièce. Il peut se dévêtir sans grelotter. Ah ! une fois, une seule, avant de partir, prendre son bain avec Mimi, lumière de ma vieillesse ! Il dépose le saint homme sur la tablette à portée de la main, il ne se lave plus sans lui. Il hésite à quitter son sous-vêtement d'hiver qu'il n'enlève pas pour se coucher, mais il ne peut le garder dans la baignoire. Sur l'eau, nage un nuage de petites rondeurs. Mimi a répandu sa poudre à bulles. Popa enjambe le rebord avec précaution pour ne pas glisser. Jamais il n'aura eu moins hâte au jour de Pâques.

S'il offrait son boudoir à Mimi ? Elle se plaint de n'avoir pas assez de temps pour tout faire, ni assez de sous. Si elle logeait ici, elle n'arriverait plus en retard. Dans l'ancienne chambre des filles, elle aurait la paix pour étudier. On trouvera bien un lit pliant quelque part et un radiateur électrique. Il veillera sur elle, il ne permettra pas qu'on la dérange quand elle travaille. Lorsqu'elle appellera son amoureux, Popa se retirera discrètement dans sa chambre ou dans la salle de bains comme maintenant. La maison sera moins grande et Popa moins seul. Toutes les raisons des enfants pour l'enfermer s'effondrent. Quand elle rentrera, il lui fera sa proposition.

La machine à laver a retourné son eau sale dans l'évier de la cuisine et arrête son ennuyeux bourdon. Il contemple son ventre plissé qui flotte au-dessus de la soupe de bulles et de crasse. S'il bouge, la quéquette émerge, entourée de poils blancs. Il la savonne vigoureusement pour voir, mais tout est déjà vu. Même les fesses douillettes de Mimi renvoient à des saveurs passées, aux fesses de Moman dans le temps. Faire l'amour, c'était ma vie, se dit Popa. Celle aussi de Moman. Ces dernières années, c'était trop long avant, et puis tout de suite fini. L'intérêt de Moman avait beaucoup baissé. Elle n'aidait plus Popa qui avait pourtant besoin de soutien. Elle attendait. Ou elle laissait tout en plan pour aller prendre des pilules, avaler un peu d'eau ou fermer la fenêtre, et elle ne semblait pas pressée de revenir. Parfois Popa s'endormait avant son retour. La dernière fois, c'était quand ? Il ne sait plus. Bon, bon, bon ! On ne doit pas se laisser gagner par les nostalgies. L'avenir sourit aux audacieux. « Le cherchant, ils le trouveront et l'ayant trouvé, ils le loueront. »

Popa se glisse jusqu'au menton dans l'eau chaude. Un vague bonheur, une douceur diffuse. Des sphères irisées s'allument et s'éteignent dans sa tête comme des ampoules de Noël ou s'attachent aux poils de son menton. Il met ses lunettes, attrape *Les Confessions*, ouvre le livre au hasard ainsi qu'on fait partout depuis la plus haute antiquité. « Car l'intempérance n'assiégeait pas son cœur et la passion du vin ne l'inclinait pas à la haine de la vérité. » Popa se plaît à ces phrases amples et gracieuses. Il poursuit sa lecture à voix basse, ni ici, ni ailleurs, ni maintenant, ni autrefois, sans âge, délivré de son poids, flottant parmi d'aimables sphères, celles de Mimi aujourd'hui ou de Moman hier, parmi les phrases augustiennes bien rondes et berçantes.

— Popa!

Un cri de panique. Il ferme son livre.

— Où es-tu, Popa?

— Dans mon bain.

Titoine entre en catastrophe. Popa se redresse au-dessus de la mousse. Titoine pousse un soupir de soulagement.

— J'ai trouvé le verrou tiré, la cuisine vide, je t'ai cru parti. Depuis quand te caches-tu dans l'eau pour lire?

— Mimi a enlevé le verrou en sortant. Elle fait mon marché rue Laurier.

— C'est ta petite voisine?

Il aide son père, comme un bon fils, à s'extraire de la baignoire et à s'habiller.

— Aurais-tu préféré la petite voisine pour te sortir du bain?

Titoine a retrouvé son sourire moqueur qui a toujours été son attaque et sa défense.

— Qu'est-ce qui t'amène?

— Je voulais vérifier que tu es toujours vivant et t'annoncer que je suis pas mort, en fin de compte. Je t'avais pas donné de nouvelles, je pensais que tu te mourais d'inquiétude.

— Je laisse ça à ta mère.

Depuis son anniversaire, Popa est sur ses gardes.

— Tu me crois pas quand je dis que je m'inquiète de toi?

Ma visite est sincère, tu sauras. J'ai l'impression qu'on veut plus me voir nulle part, que je dérange tout le monde, Titomme, Sucrette, mon ancienne blonde, même l'auteur de mes jours, en fin de compte.

Popa commence à s'attendrir. Titoine a toujours été un peu malingre. Pour cette raison, sa mère l'a gâté plus que les autres. Quand il paraît si visiblement sur la défensive et si visiblement sans défense comme maintenant, on voudrait encore tout lui donner.

— As-tu repensé à la maison verte près des Chutes?

— Il n'en est pas question.

— À Pâques, les autres vont te demander ce que tu as décidé. Ah! tu seras bien aussi dans une chambre près du boulevard Gouin, entouré de gens de ton âge. Au début, tu vas peut-être trouver que ça sent le réfectoire de couvent, mais je suppose qu'on s'habitue.

— Tu apprendras que le gouvernement est maintenant contre les hospices qui lui coûtent trop cher. Mimi m'a tout expliqué. Elle étudie le droit à l'UQAM.

— Si elle étudie à l'U du Q, je la connais peut-être. Je m'arrangerai pour la rencontrer quand je reviendrai de la Beauce. Peux-tu me prêter un peu d'argent?

— Pourquoi?

— Pour un billet d'autobus.

— Tu fais plus de l'auto-stop?

— Je suis trop vieux, les gens refusent de m'embarquer.

— Tu t'en viens comme moi.

— Un billet pour la Beauce, c'est pas ce qui va te ruiner.

— Aller seulement?

— Ce serait du gaspillage, et on revient toujours, en fin de compte.

Popa n'a jamais jeté son argent par les fenêtres, il n'en a jamais eu assez pour ça.

— Pourquoi la Beauce en février?

— Parce que j'espère pas grand-chose des villes et que rien me retient à Montréal. J'ai vendu ma voiture à un ferrailleur. Depuis que je loge plus chez ma blonde, un chum me passe un lit, mais comme mon chum me le rappelait ce matin, l'hospitalité dure pas tout le temps, vient le jour où on peut plus se sentir. J'attends une bourse de l'UQAM. Ça peut s'attendre dans la Beauce. À la campagne, on est bien plus recevant qu'en ville. Ah! si tu t'achetais la maison verte près des Chutes, je serais pas pressé de revenir. Je te comprends pas d'hésiter, dans ta situation.

— J'ai d'autres projets.

— Dépêche-toi, Popa, je vais rater l'autobus.

— C'est combien?

— Soixante et quatre-vingt-quinze.

Pour se débarrasser de Titoine avant le retour de Mimi, il sort de sa poche une liasse de billets entourés d'un élastique, compte cinquante piastres qu'il donne à Titoine en lui recommandant de n'en rien dire à Moman.

— Popa, recommence pas ça!

Titoine compte ses billets.

— Il en manque.

— C'est tout ce que j'ai.

Popa tourne la tête du côté de la ruelle. Titoine empoche l'argent et, sans se presser, prend une bière dans le frigo, en offre une à son père qui ne boit plus.

— Dépêche-toi! si tu veux pas rater l'autobus.

— Tu aurais pu m'en donner un peu plus, vraiment. Les billets de la banque du Canada te serviront à rien dans les manoirs de l'Âge d'or.

Titoine s'installe le derrière sur une chaise, les pieds sur une autre, le coude sur la table, la bouteille à la bouche.

— Toi, Popa, à part ta bière, tu as pas de dépenses. Tu dois en mettre de côté.

— Tu verras quand tu liras mon testament.

Popa y met une pointe de menace. Son testament, c'est sa dernière défense.

— En as-tu assez pour refaire la peinture de la cuisine?

— Va prendre ton autobus.

— Moi, je la repeindrais pour pas cher.

— Ton autobus! Voilà dix piastres.

— Merci. Où c'est que tu as trouvé ce jaune merdeux?

— Il a pas toujours été merdeux.

— Un vieux reste de peinture que tu as sorti de l'Hôtel de ville en cachette? C'est un jaune qui ressemble au maire de Montréal. Si tu t'étais fait prendre avec ta canisse, tu étais condamné d'avance : voler une peinture pareille ça pouvait seulement être par méchanceté.

— Remets-moi mon argent.

— Tu m'invites plus sur tes genoux?

— Je viens de prendre mon bain, je suis propre, j'ai pas envie que tu me pleures dans le cou.

— À quoi ça sert d'avoir un père?

— Demande-le à ta mère.

Popa le premier entend des pas dans l'escalier.

— Mimi!

— Ta petite voisine?

— Reste ici!

Titoine s'est précipité vers le corridor. Pris dans sa chaise, Popa imagine Mimi, les bras pleins de paquets, refermant la porte d'un coup de hanche auquel Titoine est sensible, et il n'a rien vu encore.

— C'est toi qui t'occupes de Popa? dit Titoine.

— Envoyée par le CLSC.

— Il aurait pu tomber plus mal!

— Tu m'aides?

Elle entre dans la cuisine en riant, elle dépose ses paquets sur la table. Titoine en fait autant des siens, puis guidé par Mimi, range chaque chose. Depuis toujours, il s'entend à demi-mot avec les voisines. C'était pareil avec sa mère. S'il sait que Mimi s'installe ici, il sera constamment fourré dans le boudoir et l'empêchera de travailler. Elle disparaît dans le corridor en détachant son grand manteau flottant. Après un clin d'œil à son père, Titoine part à sa suite.

— Laisse-la tranquille. M'entends-tu?

Titoine a la recette pour le mettre à l'envers, il s'y exerce depuis trente ans. Mimi accrochera son grand manteau, ses lainages, ses nuages, elle apparaîtra mince et ferme dans son pantalon de denim. Titoine a d'aussi bons yeux que son père. Au retour, elle dit :

— Vous êtes tout rouge! L'eau du bain était trop chaude?

— C'est pas le bain.

Elle met le lavage dans le sèche-linge.

— Je l'aurais fait avant que tu reviennes si j'avais su, dit Titoine d'une voix moelleuse et molle.

Elle s'approche de Popa en attachant son tablier.

— Je vous prépare une sauce à spaghetti, vous aurez qu'à vous la réchauffer.

Elle s'installe à table pour préparer la sauce. Titoine aussi. Il multiplie les finesses. Elle ne devrait pas rire, ça l'encourage et ensuite on ne l'arrête plus.

— Votre Titoine est bien serviable.

— Tellement qu'il veut me placer à l'hospice.

— Au contraire, Popa, je suis contre, tu le sais. Il voit des complots partout, pauvre Popa! J'aimerais l'amener avec moi dans la Beauce, il refuse de venir. Toi, viendrais-tu? demande-t-il à Mimi.

Elle ne lui répond pas, mais elle rit. Popa regrette de ne s'être jamais assis en face de Mimi pour couper le céleri. Il a hâte de l'inviter à s'installer dans le boudoir. Quand le beau Titoine sera loin. Quoi qu'il fasse, il se sait exclu de leur club, celui de l'UQAM, celui de la jeunesse.

— Pourquoi tu acceptes un boulot pareil? Des ménages! Tu vaux mieux que ça.

— Ça paie mes cours et je rends service. Toi, qu'est-ce que tu fais?

— Rien. Je voyage. Quand je travaille, je m'ennuie : ce qu'on me donne à faire a pas de sens. Là, j'attends une bourse. Même si elle arrive, ça changera pas grand-chose. J'ai bien peur que ce soit trop tard. Je suis comme hors contexte, en fin de compte.

— Pauvre Titoine! dit-elle en se tournant vers Popa.

Se moque-t-elle? A-t-il réussi encore à se faire plaindre? Mimi vide la sécheuse et disparaît dans le corridor avec une brassée de linge. Après un clin d'œil à son père, Titoine part à sa suite. Popa n'en peut plus, il ne se laissera pas détrôner par son morveux d'enfant. Il ramasse sa canne et se lance à leur recherche.

— Qu'est-ce que vous faites, assis sur mon lit?

— Votre Titoine est découragé, Grand-Popa.

— Il est venu au monde de même. Quand pars-tu pour la Beauce?

— Ça, c'est mon père : il pense tout de suite au mal parce qu'on est seuls dans sa chambre. Fais attention à lui, c'est un vieux cochon.

Titoine éclate de rire. Tous deux s'évaporent en laissant une traînée de bonne humeur. Popa reste seul comme un coq-d'Inde dans sa grande chambre. Il les retrouvera dans la cuisine terminant le ménage ensemble comme un couple moderne. Popa n'a pas souvent secondé Mimi, c'est vrai. Comme il n'est jamais pressé de la voir partir, il n'intervient pas dans ses travaux. Il la regarde aller et venir et trouve là son plaisir. Plaisir de vieux, plaisir de peu.

La sauce à spaghetti sur un feu doux (« n'oubliez pas, dans une couple d'heures, vous coupez le feu»), la baignoire nettoyée par Titoine, le pot de chambre vidé, javellisé, remis à sa place, Mimi s'éloigne vers le corridor. Titoine adresse à son père le plus coquin clin d'œil, puis la rejoint. Dans la porte avant de partir, Mimi crie :

— À vendredi prochain, Grand-Popa!

Et Titoine :

— Merci bien gros, Popa. Je t'enverrai une photo de la petite maison verte. Et pense à ma proposition.

La porte se referme. Leurs pas dans l'escalier. Plus rien. Elle n'est pas revenue l'embrasser. Il court à la fenêtre du boudoir. Dehors il fait un temps doux de la Chandeleur, quand existait encore une Chandeleur. Mimi descend la rue Fabre d'un pas vif avec l'escogriffe qui porte son sac rouge et se frotte à son manteau flottant. Les maudits enfants ! Ça vous prend tout ce que vous avez.

VII- Les cuissardes

«Une crête de haute pression sur le lac Ontario se déplace graduellement vers l'est. Le Québec jouit de conditions estivales alors qu'un temps chaud et humide persiste. Le tout cependant est accompagné de quelques averses et orages clairsemés. Montréal : généralement ensoleillé, maximum près de 30. Aperçu pour mercredi : beau et chaud. Lever du soleil : 5 h 14. Coucher du soleil : 20 h 45. »

Dans sa berçante, Popa goûte l'insignifiance de son journal.

DAYAN POSE DE DURES CONDITIONS À BEGIN. LA GRÈVE RETARDE L'AVÈNEMENT DE LA SOCIÉTÉ POSTALE DE LA COURONNE. LE PLQ S'INTERROGE.

Ces titres si gros en juillet ont fondu comme neige au soleil. Popa apprend de son journal le détachement. Un jour, les refus de Mimi, les assauts de Surette ne le troubleront plus. La semaine dernière, il a proposé son boudoir à Mimi. Il n'avait pas trouvé de lit, mais peut-être en dénicherait-elle un dans le hangar. Elle pouvait aussi apporter le sien. Elle a refusé, mais elle l'a embrassé sur les deux joues. Il a offert de lui acheter un lit tout neuf qu'elle choisirait elle-même rue Mont-Royal.

— Qu'est-ce que je ferais de mon chum ?

Ça passe avant le reste. Elle n'a pas de belles petites fesses pour rien, il faut que ça serve. Elle n'a pas invoqué cette raison, c'est Popa qui l'évoque en essayant de prendre ce refus avec détachement, comme des nouvelles de cataclysme dans *Le Devoir* du mois de juillet.

Surette au contraire ne demandait qu'à s'installer dans le boudoir pour se désintoxiquer de son compagnon. Il s'est sauvé à Québec pour quelques jours. Je vais trop vite, se dit Popa.

Il n'y a pas deux femmes qui se ressemblent moins que Surette et Mimi, l'une toute en hauteur et en rebonds, une grande chèvre, rien que sur une patte quand elle n'a pas les quatre fers en l'air, toujours en mouvement, mais n'allant nulle part; l'autre tout charme et rondeur comme un petit chat. Là où Surette pose le pied, c'est la folie et quand elle disparaît, le diable est aux vaches. Mimi, au contraire, transforme en ordre le désordre. Elle lave, nettoie, range, arrange, corrige, répare naturellement et tient tout sous son charme doux. Ce ne peut pas être tranché, à ce point, se dit Popa, ce ne serait pas la vie. Et d'abord, Surette lui a demandé le boudoir avant qu'il n'ait pu l'offrir à Mimi.

Cette visite, quand était-ce? Peu après celle de Titoine. Avant que Popa n'ait revu Mimi. La sonnette de l'entrée l'avait arraché à sa lecture ou à sa somnolence.

— Qui c'est?

— Surette. Ouvre vite, mon taxi attend.

Elle n'avait qu'un billet de cinquante et le chauffeur ne pouvait faire la monnaie. Popa a dû lui passer un dix. Il a crié :

— La porte!

Elle laisse toujours la porte ouverte. Ce n'était pas la première fois qu'il avait froid dans le dos à cause d'elle. Du temps où elle vivait rue Fabre, avant son escapade en France, elle oubliait systématiquement de fermer les rideaux de sa chambre, ce qui provoquait des attroupements dans la rue et des appels des voisines, car elle était le plus souvent entre deux robes. À peine inscrite en Lettres à l'Université de Montréal, (Popa déjà s'en glorifiait à l'Hôtel de ville) elle avait pris l'avion pour Paris où elle est restée deux ans à faire on ne sait quoi avec on ne sait qui. Au retour, elle s'est dirigée vers la publicité et l'audio-visuel comme si elle avait eu sa maîtrise ès Lettres en poche; modeling, photos nues, puis, avec l'âge, rédaction de petites annonces. Un jour, la grosse Sucrette a montré à son père une interview dans un journal.

— Ma sœur vous renie.

La grande Surette s'y proclamait la fille du flash et de l'instant. Tout, tout de suite. Elle ne prend jamais le temps de penser à ce qu'elle dit. Regardez-moi bien aller, *just watch me.* Belle fille encore à trente-quatre ans, tout en longueur, peu de seins, pas de hanches et en chaleur plus que jamais. En d'autres circonstances, il ne l'aurait pas repoussée. Il n'a jamais été mesquin avec sa grande Surette.

Elle a pris le temps de fermer la porte en revenant et elle a promis à Popa un chèque par la poste. Elle l'a embrassé avec fougue, puis elle a éparpillé sur les chaises son sac de voyage et ses chauds vêtements d'extérieur. Dehors on n'était pas dans *Le Devoir* du 7 juillet. Popa l'a avertie :

— Quand ta mère va rentrer, elle va te faire ramasser ton linge.

Elle a crié à son père de se réveiller. Ah! s'il peut quitter sa rue Fabre et vivre dans le présent! Elle est redevenue joyeuse et c'est lui qui s'est renfrogné.

— Tout à l'heure, dans le taxi, je t'imaginais dans ta jolie chambre de la résidence Du Tremblay près de la rivière Des Prairies. Que j'ai hâte! C'est pour bientôt, Popa!

Ce pouvait être une taquinerie aussi bien qu'une menace.

— Je suis encore capable de choisir où j'irai, si jamais je pars.

— Mais oui, voyons!

On trouve un peu partout des résidences pour personnes âgées. C'est sa sœur Sucrette qui tient à ce que leur père s'installe au bord de l'eau.

Il n'a pas dit son dernier mot. Leur mère et lui vivent ici depuis un demi-siècle. Les meubles, les couleurs, les rideaux, la place des choses, tout a été choisi par Moman et parle d'elle. Même quand elle n'est pas ici, elle y est encore. Les enfants refusent de comprendre. Il n'ira jamais que là où Moman peut aller aussi. Il ne se conduira pas comme le saint homme, jamais il ne la répudiera ni ne la renverra en Afrique ou à Victoriaville chez sa sœur Fabi pour la plus grande gloire du Seigneur mon Dieu.

Comme pour changer de sujet, Surette a dit:
— Mais parle-moi de toi un peu, de ta santé. Comment occupes-tu tes grandes journées? Une chance que tu as la télévision.

Et ainsi de suite. Popa lui a plutôt donné des nouvelles des autres, c'est cela la vie de famille, les appels de Sucrette, le passage de Titoine qui est retourné dans la Beauce y attendre sa bourse, une carte postale de sa tante Georgette de Floride. Elle s'était assise devant son père, elle lui tenait les mains, elle a bu toutes ses paroles jusqu'à la dernière. Quand il s'est arrêté, la gorge sèche, elle s'est levée avec langueur, en poussant un soupir, elle a tourné sur elle-même lentement en disant:
— Je m'ennuyais de toi, Popa, je voudrais te voir plus souvent, on a tant de choses à se dire!

Elle était déjà repartie, tout exaltée, elle poussait déjà la porte de la salle de bains.
— Ah! notre salle de bains!

Nulle part elle n'a trouvé une baignoire pareille, plus profonde qu'un tombeau. Ailleurs, elles sont à peine grandes comme des bols à mains.
— Ah! la chambre de Titoine.

Inquiet, Popa a quitté sa chaise.

— Celle aussi de Titomme.

Pour Surette, la chambre appartenait surtout à Titoine, Titomme étant parti depuis tellement longtemps. Elle est passée dans la chambre des parents.

— Il me semblait que ton lit était plus grand.

— Juste assez pour ta mère et moi.

Elle l'a fixé un instant avec effarement.

— Et le vieux salon avec son chesterfield rouge vin! Ah! mon ancienne chambre!

— Celle de Sucrette aussi.

— Je ne reconnais plus rien.

Popa ne l'a pas crue.

— Vous avez détruit mon enfance.

Elle adore les grandes phrases; aussi a-t-elle du succès dans l'audio-visuel.

— Tu restais à Paris.

Moman a transformé la chambre en boudoir. Tous étaient d'accord. Ce n'est pas la première fois que Surette y entre depuis son retour d'Europe. Et puis, qui va à la chasse perd sa place.

— Je veux mon lit!

Moman a mis un petit fauteuil sous la fenêtre et remplacé les lits par un canapé à deux places.

— Ta mère l'a donné à l'Armée du salut, tu le sais bien.

— Qu'est-ce qui vous a pris? Tant que j'avais mon lit, il me semblait que rien n'était irrémédiable.

Pendant que son compagnon était à Québec, elle désirait occuper le petit lit de son enfance et vérifier ce qui peut se recommencer. C'est pourquoi elle apportait son sac de voyage et ce qu'il faut pour découcher.

Popa a eu un frisson comme si elle avait laissé la porte ouverte encore une fois. Il destinait le boudoir à Mimi et, de toute façon, le CLSC défend aux vieux de garder leurs enfants. Ce sont les mœurs d'aujourd'hui.

— C'est pas possible, ma Surette.

Le canapé était trop petit et le boudoir trop froid. C'est la pièce la moins chauffée de la maison. On n'est pas dans *Le Devoir* du 7 juillet ici. Chaque soir, Moman devait placer une bouillotte sur les pieds des filles. Ce souvenir a fait rire Surette. Dès que Moman sortait de la chambre, elle remontait la bouillotte entre ses cuisses.

— Quand j'ai chaud là, j'ai chaud partout. Oublie ça, Popa, a-t-elle ajouté abruptement. On va s'arranger autrement.

Elle est imprévisible, il aurait dû s'en souvenir. Ils sont revenus dans la cuisine. Popa s'est rassis sur son trône. Surette ouvrait et fermait les armoires l'une après l'autre comme si elle eût cherché le gâteau de sa mère.

— Il en reste plus.

Ça ne l'a pas arrêtée. Elle a toujours été épuisante, elle ferait mourir n'importe qui.

— Chère cuisine de mon cœur! a-t-elle crié en promenant ses mains sur les murs et sur les portes.

Elle déambulait dans la grande cuisine jaune. Avec elle, ça grouille, c'en est étourdissant. Elle s'est arrêtée pour rappeler à son père de ne pas oublier sa chaise en partant. Quand elle le visitera dans sa petite chambre, au bord de l'eau ou ailleurs, elle veut qu'il soit encore assis comme maintenant, dans sa berçante. Dans un monde où on ne reconnaît plus rien parce que tout va trop vite, que demeure au moins ce point d'ancrage : le trône de son père. Popa commençait à la voir venir. Elle a contemplé un instant, par la fenêtre, le hangar ou les poteaux de son ancienne ruelle, elle est disparue dans le corridor et revenue aussitôt. Elle a glissé ses doigts brûlants dans le cou de son père et repris sa confession tortueuse. Elle qui a toujours vécu dans le flash et l'instant, qui vivait chaque instant sans s'inquiéter de savoir s'il en viendrait un autre, elle hésite, elle s'interroge, elle doute de tout.

— Je ne me retrouve plus, Popa!

— Viens t'assir sur mes genoux, ma grande Su, et cache-moi rien.

Elle n'attendait que cette invitation, l'hypocrite. Il lui avait refusé le boudoir parce qu'il le destinait à Mimi et qu'il craignait des ennuis avec le CLSC, mais il avait l'intention de ne pas lésiner sur le reste. C'est par son compagnon qu'elle a commencé. Elle voulait lui arracher les yeux, c'était même pour cette raison qu'il se cachait chez des copains de Québec. Surette empruntait des détours, mais vous allez voir où ça va mener. Elle était assise de travers sur les genoux de son père, son bras autour de la tête paternelle.

— J'avais décidé de m'acheter des cuissardes, a-t-elle dit, de belles cuissardes de cuir rouge.

Comme elle est grande, il levait la tête pour lui parler.

— Des quoi?

— Des jambières de chevreau.

Il a mis la main sur le genou de sa fille pour la calmer et pour montrer qu'il avait compris. Selon le compagnon de Surette, elle a des cuisses trop maigres pour des fourreaux pareils.

— Mes cuisses, Popa! On me payait pour les photographier.

Plus maintenant, et c'est un peu son drame, mais procédons avec ordre. Elle pleurait, toute ramassée dans les bras de son père où elle souhaitait s'enfouir à jamais. Le chagrin de sa grande fille de trente-quatre ans ressemblait à ceux qu'elle lui ramenait de la cour d'école. Popa aussi emprunte parfois de longs détours, mais qui sont nécessaires. Il a décidé d'utiliser les techniques d'autrefois pour la consoler d'aujourd'hui. Plus on vieillit, plus on se répète, tout le monde le dit. Elle a sursauté.

— Popa, tu me chatouilles!

69

— Pas maigres, les tites cuisses de la belle Surette.

Elle a eu un petit rire enfantin malgré ses larmes et elle s'est détendue. Elle pleurait encore, mais avec moins de rage, on voyait la fin de l'averse. Son compagnon cessait d'être un gros méchant pour devenir un grand malade. Il aime la coco, les cartes, les combines et peut-être aussi les petits garçons. Elle était écœurée de le traîner depuis cinq ans. Elle haletait encore comme une enfant à la fin d'une grosse peine. Popa lui a dit doucement :

— Et puis ? Qu'est-ce qui vient ensuite ?

Elle hésitait, elle se taisait. C'est sans doute un gros morceau, pensait Popa. Elle se berçait lentement sur son Popa en courant après son air. Puis elle a parlé de son flash.

— Je m'ennuie à mourir dans la publicité depuis que je ne pose plus pour les photos nues. Le choc, l'éclat du flash, tu ne sais pas comme ça me manque, Popa.

Sur le sujet du flash, elle est intarissable. Le flash, ça la réveillait, la mettait chaque fois au monde. Sans lui, c'était comme si elle n'avait plus touché à rien et comme si rien ne la touchait plus. Elle a cependant ajouté :

— À part toi, mon beau Popa.

Elle avait songé à se recycler, à retourner à l'université, mais dans la publicité, si tu t'absentes un an, tu ne reconnais plus rien et tous t'ont oublié. Elle a dit d'une voix encore mouillée :

— Ta grande Surette est fatiguée, fatiguée, Popa, de courir comme une folle derrière le changement.

Elle ne veut plus avancer en avant, elle voudrait plutôt reculer en arrière.

— Colle-toi contre ton Popa, ma Surette, on va faire un grand voyage tous les deux.

Elle a obéi aussitôt.

— Mais garde ta main là, Popa, comme une bouillotte.

70

Moman affirme que Popa exagère avec Surette, qu'il ferait n'importe quelle folie pour sa fille. L'amour paternel est ainsi.

— Tiens-toi bien, on part, lui a-t-il dit comme autrefois.

Ils sont partis en berçante. Quand on reviendra, Surette consolée retournera jouer avec ses petites amies et Popa reprendra son journal ou *Les Confessions* du saint homme. C'était ce qu'il croyait. D'abord on s'est bercé avec nostalgie. Surette gémissait encore, mais elle ne pleurait plus. C'était un voyage en arrière comme il y en avait eu d'autres, une excursion traditionnelle dans la cuisine de Popa. Surette gigotait, mais sans compromettre l'excursion. Elle racontait n'importe quoi, Popa aussi. Puis elle s'est installée à califourchon sur son père. Quand on est face à face, c'est plus facile de se parler; mais qui disait quoi à qui, qui faisait quoi à qui, qui allait où jusqu'à quand avec qui, tous deux s'en balançaient. Popa en perdait ses bretelles, Surette était comblée. C'était ce qu'elle était venue chercher sans oser le demander : une bonne tite régression bien contrôlée, avec son père, dans la grande cuisine jaune.

— Ah! Popa! On devrait faire ça plus souvent.

Il commençait cependant à se demander si ces jeux étaient encore de son âge. Qu'on ne se méprenne pas, se dit Popa, je ne regrettais rien, je ne reniais rien ni personne, j'étais seulement essoufflé, mais ne nous perdons pas dans les détails. Elle a dit sans cesser de se balancer :
— Si je restais avec toi, Popa, pas longtemps la vie m'attend, quelques semaines, jusqu'à Pâques ou ton déménagement, je me détacherais de mon compagnon et de sa drogue, je serais sauvée, je pourrais ressusciter comme n'importe qui. Vas-y Popa, plus fort.
— Je peux pas, je te l'ai dit.

Quant à la résurrection, il y pensait déjà, mais pour lui-même. Le voyage avait trop duré. La grande Su déchaînée remuait comme une sorcière sur son manche à balai. La berçante craquait de partout. Popa ne s'était jamais fait autant secouer.

— Je veux une tite place dans ton lit, Popa.

Il a été tenté, il doit l'avouer. Dans le lit tout chaud avec sa grande Su, on serait revenu en arrière et si loin qu'on se serait peut-être perdus. Ç'aurait été une résurrection à l'envers, et Popa n'aurait pas été contre. Mais à Pâques, il risquait de se retouver le bec à l'eau, livré aux résidences Du Tremblay et autres manoirs du bord de l'eau.

— Tu exagères, Surette.

Elle avait pris la barre et les menait Dieu sait où. On se berçait tellement fort qu'on risquait de chavirer. Alors Popa a ramassé ses forces et s'est levé. Surette a glissé par terre.

— Il n'est pas question que tu prennes la place de Moman.

Il a rentré sa chemise et relevé ses bretelles. Sa fille était déçue.

— Envoye donc, Popa. Seulement jusqu'à Pâques. Surette va se faire tite, tite, tite.

— Il ne faut pas en demander trop à son Popa, ma Surette. Un père, c'est pas plus qu'un père.

Voilà comment ça s'est passé, se dit Popa, et mon témoignage en vaut un autre. Un grand calme est descendu en moi. Comme écrit le saint homme, « je n'avais pas encore atteint la vérité, mais je m'étais déjà arraché de l'erreur ».

Il ne lui restait qu'à parler à Mimi. Le lendemain ou le surlendemain? Il s'était imaginé qu'elle n'aurait rien de plus pressé que de s'installer dans le boudoir avec ses cahiers et ses livres, privant les enfants des raisons qu'ils invoquent pour le sortir de la maison. Elle disposerait de la table de la cuisine pour ses devoirs comme les enfants autrefois. Il veillerait sur elle en se berçant, l'aiderait un peu dans ses difficultés de calcul ou de conjugaison. Vieux fou! Elle a refusé. Était-ce hier ou avant-hier? Ne nous perdons pas dans les détails. Elle préfère son loyer tout près de l'UQAM, ses amis autour d'elle, son chum avec elle, et Popa la comprend : elle n'a pas à partager ses délires, c'est déjà assez qu'elle nettoie son pot de chambre et ramasse ses débris. Il mérite qu'on lui passe la camisole de force et qu'on l'enferme au bord de l'eau. Vieux fou! Vieux fou! Vieux fou!

Il a ouvert *Le Devoir* du 7 juillet pour se perdre dans quelque chose de mou, d'insignifiant. Cela ne l'a mené nulle part. Mais où veut-il aller? Il doit apprendre à partir avant qu'on ne l'emmène. Plus d'une fois déjà, il a commencé la liste de ce qu'il doit quitter et s'est arraché à l'inventaire pour ouvrir la télé et une bouteille de bière. Cette fois, il se force à se voir comme si c'était lui qui passait à la télévision. Quittant la cuisine, la maison, la rue Fabre en traînant sa berçante. Surette, bonne fille, lui permet de garder la chaise à côté du lit dans la petite chambre d'hospice, s'il y a de la place. Quittant Moman. Se quittant lui-même, sortant de soi comme on abandonne un navire en perdition. À la télévision, ces choses-là n'intéressent personne. Il éteint.

Comment préparer un pareil départ? Autrefois, vers ce temps-ci de l'année, il se livrait aux exercices du Carême afin d'arriver à Pâques en belle forme. L'été, c'était plutôt la bicyclette, la natation, la plongée, pour développer le souffle. En empruntant un peu au sport, un peu à la religion, Popa s'invente un exercice : sans bouger de ma chaise, je ferme tous mes boutons, toutes mes entrées, je m'efface comme une faute, je me vide de moi-même, je m'éteins. Juste pour voir. C'est autre chose qu'un voyage en chaise berçante. Popa s'engage là-dedans avec opiniâtreté, en se disant pour s'encourager que Moman en est le prix. Après de nombreux essais, Popa a l'impression de n'avoir jamais été là. Il ne s'aperçoit nulle part. On ne peut le déménager : il n'y a personne. Plus d'image. Rien à voir. Écran vide.

Il ouvre vite tous ses boutons, se rallume comme il peut, se rappelle dans sa chaise et change de canal. La petite boîte se remet à imager, ce serait un grand bonheur si ce n'était pas plutôt le contraire. Si mes enfants essaient de me suivre, ils auront la peur de leur vie, se dit Popa. Cela l'amuse beaucoup. Son rire emplit la maison comme une présence, comme si ce n'était pas Popa qui riait, mais un autre pendant que lui-même demeurerait parfaitement immobile dans sa petite boîte.

VIII- La cassonade

« Aussitôt nous nous rendons auprès de ma mère, nous lui disons tout : elle se réjouit. Nous lui racontons comment la chose s'est passée : elle exulte, elle triomphe. Et elle vous bénissait ô vous dont la puissance est supérieure à ce que nous demandons et comprenons. » C'est une belle fin. Il referme ses *Confessions* et s'enfonce dans son plaid. Saint Augustin a été secoué par les tentations, il a pleuré, il a gémi, puis il se réjouit avec Moman et l'ami Alypius de la décision qu'il vient de prendre de changer sa vie. Dehors la neige a cessé. Ce fut une tempête épouvantable, se dit Popa, sans doute la dernière, car février touche à sa fin. Enveloppé dans le plaid dont Moman couvrait les petits dans l'auto, il se sent à l'abri jusqu'au printemps, comme une chrysalide dans son cocon. Une tempête record. Jamais on n'a vu tant de neige et de froid. Depuis hier, le thermomètre fige à -30°. On est mercredi, tout a commencé samedi. Il s'était alors enfermé dans sa couverture et avait plongé dans le livre huitième. Il levait parfois les yeux pour voir passer les trombes de neige. La lecture le berçait ; il se tenait bien au chaud pendant que le ciel et la terre étaient sens dessus dessous. C'était presque le bonheur. Le saint homme « délirait pour retrouver la raison et mourait pour revivre ». Les tourbillons de neige et de vent accompagnaient ses rechutes et ses tremblements. «Je m'étais détourné de moi pour ne pas me voir en face.» Ça me ressemble tellement, se disait Popa.

Dimanche le mauvais temps s'est encore aggravé. Les poussées de la poudrerie ébranlaient portes et fenêtres. Le saint homme chantait dans son épreuve. «Que vous êtes haut sur les cimes et profond dans les abîmes! Jamais vous ne vous éloignez, et pourtant quel effort pour revenir à vous!». Livre et tempête semblaient se répondre. On ne distinguait plus les poteaux de la ruelle ni le toit du hangar. Emportée par le vent, la maison s'était perdue entre ciel et terre. Ces déchaînements ont même rendu Popa nerveux. Il a allumé la télévision : les réclames de savon et de pizza n'étaient pas perturbées. Il a aussi téléphoné à Sucrette, ce qu'il ne fait jamais. La voix de sa fille l'a rassuré, mais Sucrette «est tombée dans les mals». Pourquoi téléphonait-il? Elle refusait de croire qu'il l'appelait sans raison, elle imaginait le pire. Popa a dû l'enguirlander pour la rasséréner.

La tempête a poursuivi sa soufflerie jusqu'à lundi soir ou mardi matin. Depuis que la neige ne tombe plus, le thermomètre a chuté à -30°. Popa chauffe tant qu'il peut, s'enferme dans son plaid, se recroqueville dans sa berçante. Ce n'est pas le moment de manquer de mazout. La neige atteint la balustrade et obstrue la porte du balcon jusqu'à hauteur des vitres. La maison flotte sur le vide, le mou et l'ouate. Chacun reste bloqué où il est, poigné dans le creux de l'hiver comme dans un cocon de glace.

Pourtant Mimi a bravé le temps pour venir, lundi midi, au plus fort de la poudrerie. Elle avait chaussé les bottes d'aviateur de son chum et, par-dessus des culottes et des culottes, passé jupe par-dessus jupe, elle était ronde comme un bonhomme de neige. Une écharpe à la taille retenait son loden. Autour du cou et de la tête, elle avait enroulé un cache-nez et ne laissait qu'une fente à son regard plus vert que bleu de fée des neiges. Quand elle a dénoué les écharpes, fait glisser les jupes, écarté les enveloppes comme une nymphe s'extrait de son étui, il a ri aux larmes. C'était une embellie dans la tourmente. Elle était venue, bien que débordée de travail à cause des examens à préparer et des travaux à remettre. Ah! si elle avait accepté son boudoir! En plus, elle s'occupe de la moitié des grands-mères et des grands-pères de la ville.

— Je devrais pourtant te suffire, lui dit-il souvent.

Elle était d'humeur joyeuse. Ils se sont divertis de tout. Popa lui a raconté la difficulté d'Augustin à se libérer de ses anciennes amies. Il lui a lu :

«Elles me tiraient par mon vêtement en murmurant : 'Tu nous renvoies? Nous ne serons plus jamais avec toi et tu ne pourras plus faire ceci et cela, plus jamais!' Et ce qu'elles me suggéraient dans ceci et cela, ce qu'elles me suggéraient, mon Dieu! Quelles saletés! quelles hontes, ces suggestions! Et si je tentais de m'éloigner, elles me pinçaient furtivement pour me forcer à me retourner...»

— Elles lui pinçaient les fesses, Grand-Popa!

Mimi riait tant qu'on n'entendait plus la tempête.

— Et qu'est-ce qu'elles lui montraient quand il se retournait?

Elle ne pensait qu'à s'amuser, Popa aussi, qu'à oublier la tempête. Il s'éloignait aussi, sans s'en apercevoir alors, du bonheur éprouvé dans la tourmente. Il s'est moqué des amis d'Augustin, Victorinus et Ponticianus.

— Comment les appelez-vous?

Ces deux-là, «remplis soudain d'un saint amour et d'une vertueuse honte», avaient renoncé net aux voluptés. Le pauvre Augustin en bavait d'envie, mais le péché, ainsi qu'il écrit, était dans ses membres.

— Dans son membre, Grand-Popa!

Elle riait follement. Popa aussi, mais il se sentait comme un faux jeton.

— Qu'est-ce qu'ils avaient donc tous contre la volupté? a-t-elle demandé tout à coup et sérieusement.

Il ne sait pas bien ce que les hommes de ce temps-là plaçaient dans le mot volupté. Des expériences, des connaissances, des désirs inconnus aux hommes d'aujourd'hui? Sait-il si Mimi et lui versent dans les mêmes mots le même sens?

Alors qu'elle remettait couches et enveloppes et s'enfermait dans son étui, elle a ri encore, mais ce n'était plus aux dépens d'Augustin.

— Ah! j'oubliais, a-t-elle dit soudain.

Sans doute n'avait-elle rien oublié, mais seulement retardé son annonce jusqu'au dernier moment. C'est gagné, on l'accepte, elle débordait de joie, elle quitte le CLSC. Après les examens de fin d'année, elle prend quelques jours de vacances avec son chum, puis elle entre comme stagiaire dans un bureau de l'Aide juridique.

— Et moi? a-t-il demandé.

— Je vous promets de venir jusqu'à Pâques, Grand-Popa.

— Et après?

— Une autre auxiliaire fera aussi bien que moi.

— Jamais!

Elle a ri, elle l'a embrassé, puis, entourée de passe-montagnes et d'écharpes, elle s'est perdue dans la bourrasque. Il est resté seul, honteux de s'être moqué d'un ami. Il a repris sa lecture avec un plaisir mêlé de remords. S'il y a un vieux qu'il aimerait rencontrer, encore plus que le Seigneur mon Dieu, c'est Augustin. On sonne. C'est son dernier ami. Bientôt Mimi ne viendra plus. Moman n'en finit plus de ne pas revenir. On sonne encore. Il n'attend personne. Il n'attend jamais personne. Le livre huitième se termine sur un ton optimiste. Saint Augustin a pris sa résolution et on sait qu'elle est finale, même s'il n'est pas au bout de ses peines. Popa envie sa détermination. Trois courts, un long. Il déteste qu'on l'interrompe.

Trois courts, un long. La sonnerie ne cesse plus. Il n'en connaît qu'un pour se pendre ainsi à la cloche, il le croyait dans la Beauce. Popa garde un mauvais souvenir de la précédente visite. Trois courts, un long. Trois courts, un long. Il presse le bouton, et pour asseoir sa contenance, déplie son *Devoir*.

— Toujours sur ton trône! remarque Titoine.

Popa tient à la fois son journal ouvert à la page sportive et les coins de la couverture.

— Mon règne achève.

«Baseball: un premier pas vers une réforme administrative.» Devrait-il profiter de cette visite pour couper les liens? Comme l'autre jour avec Surette. Quand il aura fait ses adieux aux enfants, il sera à moitié parti.

— Je peux me servir une bière?

— S'il en reste. Moi, j'en bois plus.

— Je me disais aussi que tu as la face moins bouffie.

Titoine s'installe à table avec sa bouteille. Il boit à petites gorgées gourmandes. Le monde lui appartient. Longtemps Popa n'a pu s'approcher de Moman sans que Titoine pousse des cris de mort. Les caprices des enfants sont sans limite. Dans les bras de sa mère, Titoine s'épanouissait. Comme à table maintenant. Que vient-il encore arracher à son père?

— Arrives-tu de la Beauce?

— Pourquoi me demandes-tu ça?

— Parce que tu m'as emprunté de l'argent pour y aller.

— Je viens peut-être pas te le remettre, mais crains pas, je t'en emprunterai pas d'autre.

— Qu'est-ce qui t'amène par un froid pareil?

— C'est moins froid qu'hier.

Titoine boit doucement sa bière.

— J'oubliais de te dire. Tu l'as échappé belle.

Popa s'étonne.

— La petite maison verte près des Chutes a brûlé il y a quelques jours.

— Tu étais là? C'est pour me dire ça que tu es venu?

Son fils boit sa bière sans hâte.

— Je te dérange pas toujours? Tu es certain que tu en veux pas une?

Popa rentre son journal dans son plaid avec *Les Confessions*. Titoine boit à petites gorgées. Pas moyen de savoir ce qu'il pense.

— La campagne, c'est bien beau, mais ça mène nulle part, en fin de compte. Comme dit Mimi, c'est vers la ville qu'il faut se tourner.

— Quand c'est qu'elle t'a dit ça?

— C'est là qu'est la richesse, la créativité, la liberté, tout compte fait. Il était temps que je m'en aperçoive.

— Quand c'est que tu l'as vue?

— Ah! Popa, j'ai passé l'âge de te raconter ma vie.

Titoine tète sa bière, les yeux mi-clos. On ne peut s'empêcher d'en avoir pitié comme d'une petite bête qui se croit rusée et se jettera dans le premier piège.

— Quel mauvais coup as-tu fait encore?

— C'est fini, Popa, la délinquance juvénile et l'acné.

Comment Augustin s'y prenait-il avec son fils Adéodat? L'embrassait-il souvent? Popa a toujours été plus berceux qu'embrasseux.

— Le chômage aussi, c'est fini. Qu'est-ce que ça donne? Pas le moindre petit chèque. Je me suis trouvé un boulot sans intérêt. Je bosse de nuit dans un hôpital. Faut pas croire qu'on peut travailler et aimer ça en plus. La nuit, je me retire dans un coin tranquille de la buanderie pour refaire mes forces. Le jour, je donne un coup de main dans un club coopératif de la rue Marie-Anne. Il faut se rendre utile, comme dit Mimi.

Popa déteste ces citations, ces sous-entendus et la voix molle de son Titoine.

80

L'automne prochain, s'il a conservé son travail de nuit, il s'inscrira à l'Université du Québec, même s'il n'obtient pas de bourse. Dans le monde d'aujourd'hui, on n'a jamais trop de compétences si on veut échapper aux multinationales, en fin de compte.

— Toi Popa, qu'est-ce que tu deviens?
— Rien comme tu vois.
— Sucrette t'a-t-elle trouvé quelque chose?
— Arrêtez de vous occuper de moi. Je peux encore décider tout seul où j'irai.

Soudain Popa sait qu'à Pâques, il essaiera de monter au ciel lui aussi. Il en a pris la résolution, sans se la formuler clairement, quand Mimi lui a appris son entrée à l'Aide juridique.

— T'as jamais été parlable, dit Titoine en colère.
— C'est pour ça qu'il est temps que je parte. Veux-tu t'asseoir sur mes genoux une dernière fois?
— Plus jamais! répond Titoine qui croit que son père se moque.

De toute façon, quoi qu'on lui donne, se dit Popa, c'est toujours autre chose qu'il veut.

— Alors pourquoi es-tu venu? Pour voir ta mère?
— J'aurais dû me douter que tu recommencerais.
— Si c'était pas pour ta mère, je comprends pas pourquoi.
— Pour le plaisir de te voir.

Il a pris un ton mordant. Mais Popa ne se défend pas. C'est sa façon de faire ses adieux.

— Bon! Je pense qu'on s'est assez piqué, dit Titoine en se levant. On recommencera à Pâques. Là, je suis un peu pressé, j'ai promis de donner deux heures à mon club coopératif. On a reçu de la cassonade en poches et il faut la mettre en sacs. Tu as besoin de rien? Est-ce que je peux faire quelque chose pour toi avant de partir?

Popa souhaiterait demander un petit service à Titoine, n'importe quoi, son fils en serait heureux. Il ne lui vient aucune idée. Un blocage.

— J'ai besoin de rien.

Titoine se dirige vers le corridor, puis s'arrête.

— Tu as de la chance d'avoir trouvé quelqu'un comme Mimi pour t'aider. Moi, j'ai personne.

Popa se demande s'il doit lui ouvrir les bras, mais il est tout poigné dans son plaid. Titoine reste sous l'arc du corridor à regarder le bout de son soulier et à faire le timide.

— J'ai quelque chose à te demander.

— Vas-y, gêne-toi pas, voyons!

— Le numéro de téléphone de Mimi.

— Mon garçon, Mimi s'occupe seulement des vieux et j'ai pas son numéro de téléphone.

Titoine contemple son soulier.

— Tu déplacerais pas le petit doigt pour aider ton garçon.

Ce furent les derniers mots de Titoine, se dit Popa, ses mots d'adieu. La lumière baisse lentement. Lentement. Il refuse de s'attendrir par peur d'être emporté il ne sait où, trop loin. Ce n'est pas le moment.

Il n'a pas mis le pied sur le balcon depuis la semaine dernière. Et maintenant la neige obstrue la porte. À la prochaine visite de Mimi, la prier de pelleter le balcon. Voilà ce qu'il aurait dû demander à Titoine : pelleter la neige pour son père.

Popa écarte le plaid, soulage sa vessie sans se lever, rallume la télévision, se promène d'un numéro à l'autre jusqu'au bulletin de météo. Beau et plus doux pour demain. La perturbation des derniers jours se perd du côté des Grands Lacs. Ça finit toujours par se remettre au beau. Il faut faire comme si n'existait pas quelque part, non pas dans la tête, plus bas, pas dans le cœur, plus bas, au plus bas de l'estomac s'il faut à ça un lieu, une masse plus lourde que le plomb, ou plutôt un trou plus profond et plus noir qu'un puits de mine, ou plutôt un vide mais qui serait le seul plein et dans lequel Popa est menacé constamment de se perdre comme on cesse non seulement d'exister, mais même d'avoir été.

Ah! partir sans se perdre, rejoindre Moman et exister ailleurs avec elle. Ce serait une belle fin. Popa en est encore loin. Il aurait besoin de la lumière rassurante qui, vers la fin du livre huitième, s'était répandue dans le cœur du saint homme, y dissipant toutes les ténèbres de l'incertitude. Seul le scintillement de la télévision perce la nuit de février répandue dans la cuisine.

Certains jours, si on se laissait aller, on s'arrêterait net.

IX- En fin de compte

On sonne. Qui c'est? Une lettre recommandée. Se rendre à la porte en s'aidant de la canne. Signer la feuille. Merci. Il pleut. Les lettres recommandées n'apportent rien de bon. De qui et d'où? Pas de l'Hôtel de ville. Ni du CLSC. Camille Desrochers. Connais pas. Votre nouveau propriétaire. Il demande la permission de vous informer. La maison a été vendue. Camille hausse le loyer. Pour qui se prend-il? Popa ne paiera pas d'augmentation. De 15 pour cent. Sa pension, elle, n'augmente pas. De plus... Pour qui se prend-il? De plus Camille démolira le hangar en mai afin de toucher la subvention municipale, et de diminuer les risques d'incendie ainsi que les frais d'assurance. Veuillez vider votre. En vue de. Pour qui se prend-il? Un bandit! Popa regrette de n'avoir pas de carabine dans son hangar. Il s'ouvre une bouteille de bière, la dernière et c'est tant mieux, car il serait d'humeur à en vider une douzaine. On lui enlève la maison et le hangar qu'il habite depuis un demi-siècle. On n'a pas le droit. Il est abandonné de tous. On abuse de son grand âge. Faire appel à ses enfants? Peut-être sont-ils de mèche avec Camille pour le contraindre à accepter leur chambre d'hospice. J'aimerais mieux mourir.

Voilà comment ce chapitre a commencé, se dit Popa. Aux antipodes du livre neuvième où le grand Augustin rend grâce au Seigneur mon appui et mon rédempteur et se réjouit comme s'il était déjà au septième ciel avec Moman. Sa sainte Monique y montera sans lui, «le neuvième jour de sa maladie, alors qu'elle avait cinquante-six ans et moi trente-trois», un enfant! «Ô Seigneur, je suis votre serviteur et le fils de votre servante. Vous avez rompu mes chaînes : je vous sacrifierai une hostie de louange.» C'est ainsi que commence le neuvième livre et jamais je n'aurais imaginé alors que je rencontrerais Yvon le jour suivant, rue Laurier.

Le reste de cette journée se passe dans les transes, car Mimi ne vient que le lendemain. La lettre à la main, Popa cherche un soutien du saint homme contre Camille Desrochers. Augustin parle d'autre chose, «rompre sans bruit avec la foire aux bavardages... cependant la gloire de votre nom... au surplus le surmenage d'un professorat avait attaqué mes poumons...» Il se balance pas mal du hangar et du loyer d'un vieux de la rue Fabre. C'est comme si tout manquait à la fois. Popa ne peut mettre deux idées bout à bout. Il n'est que panique et rage, et ne dort quasiment pas de la nuit.

Le lendemain, il pisse avec difficulté et il souffre des jambes comme il y a des mois. Le voilà installé au boudoir dans le fauteuil de Moman. Il a froid et il guette l'arrivée de Mimi. Dans la rue, l'eau se mêle à la neige. Il a plu la veille. C'est mars. Bientôt la Saint-Patrice. Mimi arrive toujours en retard, il s'en plaindra au CLSC. Dans le boudoir humide et mal chauffé, il pourrait prendre froid. À son âge, le froid, quand ça vous gagne, ça ne vous lâche plus. Devant la maison, le trottoir est dégagé en bonne partie. Il reste beaucoup de neige dans les parterres et de la glace sur le trottoir d'en face moins touché par le soleil, beaucoup de glace aussi dans les caniveaux. Incapable de payer l'augmentation, il sera forcé de quitter la rue Fabre. Pour aller où? On descendra ses meubles sur le trottoir comme on voyait du temps de la Crise, la première, la grande. Il a beau se répéter que c'est sans importance puisqu'il part sans doute avant la fin du bail, qu'il ne sera donc plus là quand on sortira les meubles, cela ne le rassure aucunement. Où mettra-t-il tout ce qu'il garde dans le hangar? Le trottoir n'y suffira pas. Il s'était cru délivré des passions. Pas de toutes. Pas de la colère. Ni de la peur. Faudrait être un saint homme. En Afrique. Dans l'Antiquité.

Mimi remonte le trottoir d'en face. Elle porte comme d'habitude sa pèlerine verte. Sur l'épaule une bretelle de son sac aux couleurs du Québec. Parce que c'est mars, que le printemps s'annonce, elle s'est coiffée d'une tourmaline coquine rouge et verte. Moman a déjà tricoté aux enfants des bérets semblables. Elle s'arrête et, du pied, ouvre une rigole pour aider l'écoulement de l'eau qui descend la rue. Elle porte des bottes rouges en caoutchouc. Ce qu'elle est jeune! Un éclair d'envie déchire Popa. Splendeur de la jeunesse. Il ne reste ensuite qu'à s'éteindre et s'effriter. Que la rage et les larmes.

Elle ne se rend pas compte qu'on l'attend. On n'ouvre pas de rigoles à son âge. Elle traverse enfin. Au pied de l'escalier, elle aperçoit Popa et lui envoie, des deux mains, un gros bec bien tassé. Puis elle s'élance dans l'escalier qui en tremble. Quelle énergie! Quel gaspillage! Popa se hâte vers l'entrée sans plus calculer que Mimi.

— Il m'arrive une catastrophe.

Avant que Mimi ne referme la porte, il lui présente l'avis de Camille. Il entendait s'expliquer calmement, puis demander conseil. Il ne contrôle pas plus sa langue que sa vessie. Une augmentation injuste. On veut l'expulser de chez lui. Mimi gagne le corridor en parcourant la lettre. Lui, il parle et parle au lieu d'attendre. Le hangar qui, le hangar que. Mimi l'embrasse sur la joue. Il en avale sa langue.

— Si vous voulez garder votre logement, le CLSC va se battre pour vous.

C'est cela qu'il voulait entendre. Qu'on se batte pour lui, qu'on déchire et qu'on écrase Camille Desrochers.

— Laissez-moi votre papier, je m'en occupe.

Mimi s'y connaît, elle étudie le droit, elle peut déchaîner l'UQAM, l'Aide juridique, les Cliniques populaires et toutes les Grandes Lettres contre les ennemis de Popa.

— On peut aussi vous chercher un autre logement moins cher.

— Il n'en est pas question.

Elle a posé son loden, enlevé ses bottes rouges, glissé ses petits pieds dans des pantoufles de laine qu'elle a sorties du grand sac où elle a déjà rangé sa tourmaline verte et rouge tricotée par Moman. Splendeur de la jeunesse.

— La maison est bien grande pour un grand-popa seul, vous pensez pas?

— Moman peut revenir d'un moment à l'autre.

Chaque pièce de la maison est bourrée jusqu'au plafond de tout ce qu'on accumule en cinquante ans. Comment entrer cela dans un logement plus petit? Et le hangar déborde aussi. Popa se laisse tomber dans sa berçante. On refuse de l'aider. Mimi s'approche, lui prend les mains.

— Donnez-en, Grand-Popa, même si vous restez ici. Ça vous fera pas mourir.

Quand elle tient ainsi ses deux mains, qu'elle s'accroupit pour être à la hauteur de Popa et le regarder dans les yeux, cela ne le fait pas mourir, au contraire, il en oublierait de ressusciter.

— C'est pas pour moi. Je suis attaché à rien, moi. C'est Moman.

Mimi ne se rend pas compte que tout cela appartient aussi à Moman qui veut toujours tout conserver au cas où. C'est vrai que parfois elle donne une nouvelle vie à ces choses qu'elle gardait depuis toujours sous un lit, dans un placard, et que tous avaient oubliées, à part elle.

— Si j'en donne, qu'est-ce qu'elle dira au retour?

Mimi avance une proposition imparable.

— Commençons le grand ménage du printemps dans la pièce à débarras. Vous verrez mieux s'il faut tout garder.

Moman dirait: le ménage de Pâques. Soudain Pâques apparaît dangereusement proche.

La pièce à débarras est bourrée jusqu'au plafond, il n'a pas menti. Mimi entreprend le ménage avec son énergie habituelle. Les caprices et les retours de Moman ne l'émeuvent guère. Popa est tellement fasciné par la fouille quasi archéologique menée par Mimi qu'il ne voit plus les mignonnes petites sphères qui néanmoins contribuent discrètement à l'allégresse du moment. Il exagérait en affirmant que Moman seule tient à ces vieilleries. Lui aussi. Mais à mesure que Mimi dégage et trie, il découvre que des objets auxquels il se croyait attaché lui sont indifférents. Un panier à pique-nique en osier qui a perdu sa poignée. On partait pour le lac Champlain dans deux ou trois autos remplies de la parenté, on s'installait pour la journée sur la plage de Plattsburg, Moman ouvrait le panier. Sans poignée, sans Moman, le panier n'a plus de sens. Deux chaises qu'il doit, depuis quinze ans, décaper, revernir. C'est Moman qui serait heureuse. On a bien assez de chaises. Un costume qu'il n'a pas mis depuis sa retraite. Une yaourtière brisée. Dans un tiroir plein de linge inutile, la médaille de bronze de l'Hôtel de ville pour ses trente-cinq ans de service. Mimi lit à haute voix: «Employé fidèle». Elle ne rit pas. Une statue de saint Joseph que Moman tient de sa mère, le brassard de première communion de Titomme ou de Titoine, à moins que ce ne soit de Popa ou du père de Popa, une photo encadrée, coloriée à la main, de la grand-mère de Moman. Popa serait-il devenu insensible aux images, reliques et reliquats? Tout cela semblait autrefois du bord du sacré. On appartenait à ces choses autant qu'on les possédait. Aujourd'hui tout est jetable comme les rasoirs, les briquets, les mouchoirs.

Mimi souhaite entreprendre un tri semblable dans les autres pièces quand elle en aura le temps. Sans être complètement d'accord, Popa n'y est plus totalement opposé. Il faut se détacher si on veut partir. Déjà sa berçante ne lui paraît plus aussi nécessaire. Quant au ménage du hangar, Popa pourrait-il le confier à ses enfants? Mimi est persuadée que Titoine ou un autre ne refuseraient pas leur aide. Ne les mêlons pas à ça. Elle lui demande que faire des objets qui encombrent maintenant le corridor et la cuisine. Les retourner dans la chambre? Les offrir aux enfants? Pour qu'ils les refusent ou se les disputent? Non, tout jeter, tout donner, presque tout.

— Attends que je te lise. « Déjà mon cœur était délivré des soucis mordants de l'ambition, du prurit des passions et je m'entretenais librement avec vous. » Non, c'est pas ça. « Quel mal n'ai-je point fait, ou dit, sinon fait; ou sinon dit, voulu? » C'est vrai, mais c'est pas ça. « J'avais craint de les perdre, et je me réjouissais déjà d'en prendre congé. » Hein! Dans le livre neuvième.

Mimi n'accepte rien pour elle, à part peut-être, si les enfants n'en veulent pas, le portrait de la mémère de Moman : le cadre est *cute*. On demandera aux Glaneuses d'emporter certaines choses, on en descendra d'autres pour la voirie. Plus il rejette d'objets, plus il se sent léger. Quand il sera complètement détaché, il s'élèvera pour ainsi dire naturellement. La réflexion amuse Mimi.

Pendant qu'elle ficelle des paquets et les descend en bordure de la rue, Popa se souvient des reproches de

Titoine l'autre semaine. Tu lèverais pas le petit doigt. Mauvais père. Autrefois il pensait beaucoup à ses enfants, il s'inquiétait pour eux, il cherchait sans cesse comment les rendre heureux. Moman aussi, mais il ne s'agit pas de cela. Imperceptiblement il s'est éloigné d'eux, ils ont de moins en moins occupé ses pensées. Ils sont partis depuis tellement longtemps, ils ont tellement changé! Quand il les voit en rêve, ils fréquentent encore l'école, ou ils y entreront bientôt.

— En réalité, je tiens à rien, dit-il à Mimi remontée de la rue, seulement à moi. J'ai jamais eu grand pouvoir. Celui que j'ai pu exercer sur les autres, je l'ai perdu et d'ailleurs j'y tiens plus. Celui que j'ai sur moi mérite pas qu'on en parle, tant c'est peu. Un de ces matins, je vais me retrouver de l'autre côté sans avoir jamais rien voulu. Appellerais-tu ça être libre?

— Vous faites pas assez d'exercice.

— J'en fais, j'en fais.

Mimi se rend rue Laurier pour l'achat des provisions. Pourquoi ne l'accompagnerait-il pas? Où prend-elle son énergie? Dans la splendeur de sa jeunesse. Jamais il ne pourrait se rendre à la rue Laurier. Il se demande même s'il se rendra jusqu'à Pâques avec tout ce qui arrive.

— Voyons, Grand-Popa!

Et quoi faire rue Laurier? Il attendra plutôt dans la berçante le retour de Mimi en explorant *Les Confessions*. «Le congé des vendanges fini, j'informai les Milanais qu'ils eussent à se pourvoir d'un autre marchand de paroles vu qu'une oppression respiratoire et une douleur de poitrine m'interdisaient l'exercice de cette profession.» Le saint homme se rend ensuite à Ostie attendre le bateau avec sa mère.

— Ah! Grand-Popa, grouillez-vous un peu. C'est ça être libre.

— Moque-toi pas de moi.

Il doit rester ici au cas où Moman s'aviserait de revenir.
Tu comprends? Si elle trouvait la maison vide, elle
pourrait imaginer qu'il s'est à jamais envolé; n'arrive-t-il
pas à Popa d'imaginer cela de Moman?
— On n'a qu'à lui punaiser un billet sur la porte.

Il accepte l'invitation. Il doit apprendre à s'éloigner de
sa maison. Partir serait une façon d'échapper à Camille
Desrochers, l'écœurant. Dans quel état trouvera-t-il sa
rue Laurier? Mimi lui cherche des vêtements. Un manteau, une casquette, un foulard, des bottes, des gants et
quoi encore pour se risquer dehors quand il fait seulement
trois degrés Celsius. La rue Laurier a dû changer comme le
reste. C'est compliqué et fatigant d'enfiler ces vêtements,
même s'il se laisse habiller plus qu'il ne s'habille. Mimi a
beaucoup de mérite. Que lui trouve-t-elle d'intéressant?
— J'ai pas d'héritage à te laisser, je t'avertis.

Tout en s'habillant, il se réconcilie avec l'idée de revoir
la rue Laurier, les décorations de Pâques dans les vitrines,
les fleurs de papier crêpé chez le boucher, les lapins et les
œufs de chocolat à la biscuiterie. Mimi le regarde de
travers; le sucre du pays et le sirop de la Beauce chez
Tousignant. Popa est en train de s'emballer, il s'en rend
très bien compte, il voudrait appliquer les freins, il ne
peut pas, il n'a plus de freins.

— Donnez-moi votre pied.

Elle le chausse de bottillons découverts dans la pièce à
débarras, elle se préparait à les jeter aux rebuts. Si Moman
les avait aperçus dans la poubelle, elle en aurait parlé
longtemps.

Il avait oublié que l'escalier de métal est à ce point
pentu. À mi-chemin, les jambes lui flageolent. Mimi l'aide
en le retenant et le soutenant.

— Tu savais pas le temps que tu perdrais en m'amenant
rue Laurier.

Si Popa, une fois en bas, poursuit l'expédition, c'est qu'il n'a pas la force de remonter. Pour une première sortie, Mimi juge qu'il s'en tire très bien, en fin de compte.

— En fin de compte?

Où a-t-elle emprunté cette expression qui appartient à quelqu'un qui cherchait, quelques semaines plus tôt, un certain numéro de téléphone?

— Quelle expression?

— En fin de compte.

Elle ne veut rien comprendre. Il doit lui demander carrément si elle a vu Titoine récemment.

— Votre garçon? Il est pas parti dans la Beauce?

Elle-même doit remettre, fin mars, un gros rapport juridique, elle ne voit plus personne, elle néglige son chum, elle a même abandonné certains grands-pères tant elle est débordée. Popa en a le frisson.

— À Pâques, je vais être morte.

— Et moi, je vais ressusciter.

Elle a passé son bras sous le sien. C'est agréable et rassurant. Il a hâte de se replonger dans le mouvement de la rue Laurier, Mimi aussi, mais il ne peut aller vite, il a le souffle court. Peut-être pense-t-elle au gros rapport à livrer à l'UQAM. Elle le tire un peu.

— Heilleilleilleille, on n'est pas au feu.

Ce n'est pas lui qui a demandé à sortir. Quand on décide de se promener avec un patriarche, il faut avoir le temps dans sa poche. Ou on ne lance pas d'invitation. Ils débouchent enfin sur la rue Laurier.

— Déjà trois heures, dit Mimi.

Il cherche en vain l'animation attendue. Ni décorations, ni chocolats de Pâques, ni pavoisement printanier. Mimi le tire doucement.

— Où m'amènes-tu?

— Au marché Saint-Stanislas, près de Garnier.

Popa ne le connaît pas. En chemin, il s'arrête à chaque vitrine et en profite pour souffler. Elle s'arrête aussi. Elle est bien fine. Puis elle le tire. Nulle annonce de sucre et de sirop nouveaux. Un magasin vend des vêtements d'occasion comme dans le Vieux Montréal. Avant le départ de Moman, jamais une friperie ne se serait installée rue Laurier.

— Où sont les lapins de chocolat?
— C'est trop tôt sans doute.
— À la mi-carême? Qu'est-ce qu'ils attendent?

Sur l'étagère d'un dépanneur, celui-là même qui lui livrait bière et boîtes de conserves, il aperçoit enfin un coq de chocolat sous un abri de cellophane. Les magasins ont perdu leur éclat, ils semblent à court de stock, désertés. C'est la même rue que du temps de Moman, mais exsangue, comme morte. Où la vie est-elle passée? Mimi s'en fiche. Splendeur de la jeunesse. Elle s'arrête devant le marché Saint-Stanislas qui occupe, Popa le jurerait, l'emplacement de la crémerie Tousignant. Elle propose qu'il l'attende à l'extérieur, et elle disparaît dans le magasin avant qu'il ne réponde. Popa se réjouit de n'avoir pas à la suivre. Il s'assoit à demi sur le rebord de la vitrine, il s'appuie sur sa canne. Le soleil de mars le chauffe un peu. À côté, au coin de Garnier, une coop écologique remplace la pharmacie Leduc. Dans la rue endormie, passent des flâneurs somnolents. Sa vessie aussi semble en sommeil. Tant mieux. Le pot de chambre est loin. Près du saint homme.

Un vieillard à barbe blanche et taillée avec soin s'arrête et lui sourit. Qui c'est? On dirait Augustin. Il porte un manteau de velours côtelé couleur de miel et un chapeau d'étoffe, miellé aussi.

— Si c'est pas...

Le sourire du barbu s'élargit. On dirait un sénateur.

— Oui, c'est moi, dit Popa qui cherche qui c'est.

— Si c'est pas Georges-Aimé de l'Hôtel de ville!

— Oui, c'est moi.

— Dis-moi pas que tu me reconnais pas, Georges-Aimé Laberge!

— Ben...

— Yvon Bellemarre de l'Hôtel de ville. Tu te souviens pas?

— Ben... Il me semblait avoir vu ta photo, sans barbe, dans un vieux numéro du *Devoir,* prière de ne pas envoyer de fleurs mais des dons à la Ligue canadienne des joueurs de bowling.

— Ah! On a joué de bien belles parties ensemble.

— L'un contre l'autre, pas ensemble.

Le rire d'Yvon, un gros rire de vendeur de balayeuses électriques, réveille enfin la mémoire de Popa.

— Ça te fait quel âge?

— 75 ans au mois de janvier dernier.

— Ça se peut pas. C'est moi qui ai eu 75 en janvier.

— Quelle date?

— Et toi?

— Je me souviens plus.

— Moi non plus, Georges-Aimé.

Bellemarre répète «moi non plus» en riant et en secouant l'épaule de Popa.

— Mais qu'est-ce qui t'amène ici?

— Je suis venu avec ma petite-fille faire mon marché. Toi?

— Moi, c'est ma marche de santé. Je comprends pas qu'on se soit pas rencontrés avant.

— Je viens jamais rue Laurier, c'est trop mort.

Yvon rit aux éclats. «C'est trop mort.» Il se tord et se bidonne.

— Je peux m'asseoir?

— Mais oui.

Il s'installe sur la fausse banquette, rit encore, ce qui est pratique quand on ne s'est pas parlé depuis dix ou vingt ans, puis :

— As-tu ta carte de l'Âge d'or, Georges-Aimé ?

Yvon est président du club de l'Âge d'or de Saint-Stanislas, il siège à des comités de l'Âge d'or qui présentent des mémoires aux gouvernements, il organise en temps d'élection la visite des candidats dans les résidences de personnes âgées.

— Si tu les voyais donner des petits becs aux petites vieilles ! Veux-tu que je t'obtienne une carte ?

— Tu nichais dans le haut de la rue Saint-Denis du temps de l'Hôtel de ville, pas dans Saint-Stanislas il me semble.

— En effet. Et toi, rue Fabre ou Marquette, dans un haut. Je t'avais ramené d'une partie de pêche.

— Je reste encore là. Pour l'instant.

— As-tu l'intention de déménager ?

— Peut-être, on y pense. J'ai reçu une lettre de mon nouveau propriétaire. Il veut m'augmenter de 15 pour cent l'écœurant. Il va s'apercevoir que Popa sait se défendre et que je suis pas tout seul.

Augustin a raison. Je n'aurais pas dû me confier à un cabaleur d'élection comme Yvon Bellemarre, se dit Popa. « À quoi bon donner mon cœur aux jugements téméraires et aux disputes ? » Mais le mal était fait.

Yvon s'étonne que Popa demeure encore dans un vieux logis de six pièces.

— À nos âges, ça prend du neuf et des services. Je vais te trouver quelque chose à la résidence Gilford. J'ai qu'à dire un mot à l'administrateur.

— Laisse faire, Yvon, ma petite-fille s'en occupe, elle est avocate. Et Moman veut pas entendre parler de quitter sa rue Fabre.

— Tu l'appelles encore Moman ? Dans le temps, je trouvais ça drôle.

96

— Pourquoi?

— Laurette? C'est Laurette, son nom? Mais je la pensais morte.

— Jamais de la vie.

Popa se hâte de demander à Yvon des nouvelles de sa femme. Assez parlé de Moman.

— Ah! ma grande noire! À soixante-douze ans, elle trotte plus beaucoup.

Il l'appelait la grande noire. Popa se souvient tout à coup. Une belle femme, un peu trotteuse.

— Elle dansait comme personne, dit Popa.

— Elle danse plus.

Aux bals des clubs municipaux de bowling, Popa aimait danser avec la grande noire dont le mari était le coach de la meilleure équipe rivale. Il ne se passait rien de grave, mais Moman revenait de mauvaise humeur et le traitait de coureur. Elle-même pourtant ne se gênait pas pour swinguer avec n'importe qui et faire damner Popa qui, lui, au moins, ne dansait qu'avec la femme d'Yvon. Il ne se passait rien de mal et Moman ne serait pas partie pour ça.

— Te souviens-tu de nos parties de pêche?

Avec d'autres employés de l'Hôtel de ville, à Baskatong. Oui, Popa se souvient. Un compagnon s'y est noyé. Il avait trop bu. On allait au même endroit pour la chasse, l'automne. Les saouleries!

— Est-ce que je t'ai déjà amené à mon lac, de l'autre bord de Labelle?

— Une fois. Un beau petit lac.

Comment s'y était-il retrouvé sans Moman, seul avec Yvon et sa grande noire?

— Bien poissonneux.

— Un beau petit lac.

Moman visitait-elle sa sœur Fabi? Qui alors gardait les petits?

— J'ai vendu, c'était devenu trop loin.

La grande noire avait la liberté d'allure et de langage des femmes qui n'ont pas d'enfants devant qui se guetter sans arrêt. On avait manqué de bière.

— À la fin, on pêchait plus rien. Des perchaudes et des crapets soleil.

L'offre de Popa d'aller acheter de la bière au village avait été écartée: il était leur hôte, pas leur commis. À la suggestion de sa femme, Yvon s'était rendu à Labelle, abandonnant à leur partie de pêche Popa et la grande noire.

— Un beau petit lac.

Ils l'avaient réinvité, ça n'avait pas adonné.

— Tu reconnaîtrais plus ma grande noire. Elle est grosse comme mon doigt, et toute tassée. Elle se souviendrait plus de toi, elle reconnaît plus rien.

Yvon a dû la placer dans un centre d'accueil où on prend bien soin d'elle. Il peut respirer de nouveau, sortir, voir des gens. Il donne un coup de coude à Popa. Visiter les petites vieilles. Il loge à la résidence Gilford, près de l'église. On n'est plus au temps des bonnes sœurs, les femmes d'un bord, les hommes de l'autre. Avec sa carte, il a ses entrées partout. Il rit de bon cœur. Popa jette un coup d'œil dans le magasin.

— Pour Pâques, qu'est-ce que tu dirais, Georges-Aimé, d'un voyage en autobus à New York?

Yvon organise des excursions pour les personnes âgées. Les vieux aussi ont le droit de sortir, ils en ont le temps, ça les arrache à leurs bobos et, avec la carte de l'Âge d'or, ils ont partout des réductions.

— L'autobus est rempli de petites mères, tu as l'embarras du choix.

Splendeur de la jeunesse!

— Je peux pas. À Pâques, avec Moman je reçois les enfants.

— Ah!... Laurette et moi, on s'est toujours bien entendus. Il faudrait bien qu'on se revoie.

Yvon lui donne son adresse et son numéro de téléphone en disant:

— On va pas rester encore quinze ans sans se retrouver.

— Ça nous en ferait seulement quatre-vingt-dix, répond Popa qui lui refile une fausse adresse.

Il ne souhaite pas qu'Yvon fasse le beau devant Moman qui a toujours été sensible aux compliments et a toujours aimé les voyages, même sans Popa. S'est-elle sauvée assez souvent à Victoriaville visiter sa sœur Fabi!

— Grand-Popa!

Mimi sort du magasin avec deux gros sacs de provisions.

— Je te présente ma petite-fille.

— Elle te ressemble, Georges-Aimé, mais en beaucoup mieux.

Bellemarre rit, mais c'est un rire de charme, celui qu'il prenait dans le temps avec Moman. Mimi pose un des sacs sur le rebord de la vitrine.

— Yvon Bellemarre, un ancien joueur de bowling.

— Et compagnon de travail: on appartenait à la Ville, tous les deux.

— Bon! Il faut partir, Mimi.

Yvon les retient et rappelle qu'il peut obtenir à Popa un appartement à la résidence Gilford n'importe quand.

— Ah!

Mimi connaît cette maison qui est dans son secteur. Popa resterait dans son quartier et avec des amis.

— Profites-en, Georges-Aimé, pendant que je suis encore là. À nos âges, on peut plus faire les difficiles: presque tous ceux qu'on connaît sont partis.

Un moment, se dit Popa, j'ai craint une alliance entre Yvon et Mimi. Bellemarre a reparlé de l'excursion à New York et Mimi s'est exclamée que je songeais justement à de tels voyages.

— Mais il peut pas à cause de Laurette, lui a expliqué Yvon.

Ce n'était pas le moment d'entrer dans une discussion sur la sorte de voyage à laquelle j'aspirais.

— Laurette pourrait venir aussi, Georges-Aimé, si c'est ça qui t'arrête.

Popa a rappelé à Mimi le rapport juridique qu'elle doit remettre incessamment.

— Excusez-nous, a-t-elle dit enfin, reprenant son sac.

Après des serrements de mains, des «à bientôt», des «embrasse bien Laurette pour moi», Yvon a dû les laisser partir. Popa ne tenait plus sur ses jambes et avait peine à avancer. C'est égal, il s'était rendu jusqu'au coin de Garnier, rien ne l'empêche d'aller plus loin. Il avait commencé à vider sa maison. Demain il pourrait faire la nique à Camille et aux enfants, leur passer entre les doigts pour ni plus ni moins ressusciter. Mimi lui a demandé:
— Qui c'est, Laurette?

X- La tétine

La dame de la Popote volante est disparue, son panier sous le bras. Le poulet refroidit dans l'assiette recouverte d'un bol protecteur. Il met l'eau à chauffer pour le thé. Je vais vous dire. En prenant cela par le début: l'arrivée de Titomme.

Popa avait interrompu sa gymnastique pour venir jusqu'à la porte, car il s'est remis aux exercices afin de réussir sa sortie de Pâques mieux que sa visite rue Laurier. Pauvre Titomme! Dès l'entrée, il s'est montré de mauvais poil.

— Tu es tout essoufflé! Qu'est-ce qui t'arrive? a-t-il dit à son père.

Il cachait son inquiétude en parlant fort. Ensuite il s'est étonné que les portes des chambres fussent fermées comme si on avait eu quelque chose à cacher.

— Ça coûte moins cher à chauffer, lui a rappelé Popa.

D'autorité, il a refermé la fenêtre de la cuisine que son père avait ouverte pour ses exercices.

— Veux-tu prendre ton coup de mort?

Il aurait besoin que Mimi le mette à la gymnastique. Il n'est pas plus grand que son père, mais plus gras, plus rond. Bébé, il était si beau, si fin que les voisins venaient l'emprunter. Ça n'a pas duré.

Popa revient un instant à sa popote. Un jus de tomate pour commencer. Avec deux biscuits *crackers* enrobés de cellophane. Du poulet rôti avec pommes de terre et haricots verts. Il n'aime pas les haricots quelle que soit leur couleur. Deux tranches de pain beurrées. Un carré aux dattes. C'est livré dans des contenants d'aluminium d'hôpital, à l'intérieur d'un grand panier d'osier comme dans *Le petit chaperon rouge*. Tout en buvant son jus, il pose *Les Confessions* sur le coin de la table au cas où. Il ouvre son *Devoir* du 7 juillet à la page 7. Moman n'a jamais approuvé qu'on lise à table. La tache roussâtre au bas de la page 7, c'est du spaghetti. Une autre page a reçu du pipi qui marque moins cependant que la sauce tomate. Il verse les haricots dans une autre assiette avant d'attaquer son poulet.

Titomme était pressé comme d'habitude, il ne disposait que de quelques instants. À la vérité, sa visite à un client avait duré moins que prévu et il avait du temps à perdre. Il a cherché un cendrier. Popa a poussé vers lui le pot de chambre encore propre. Il fume comme un engin, l'odeur de son tabac empeste la pièce. À tout moment, il remonte son pantalon avec ses coudes. Ça énerve son père.

La bouilloire siffle. Il verse l'eau dans la théière. Hier Mimi a poursuivi le grand ménage des chambres et Popa s'est détaché de beaucoup de choses. Elle n'a pas offert de l'amener rue Laurier. Elle est pressée plus que jamais et il ne souhaite pas rencontrer Yvon Bellemarre ou le fantôme de sa grande noire. Moman n'est pas partie pour ça! Voyons! Il y a tellement longtemps! La mémoire, quel palais plein de revenants! disait justement le saint homme. Un vrai manoir de l'Âge d'or. S'il tarde à s'en aller, il pourrait bien finir comme la femme d'Yvon. C'est sa plus grande peur.

Il a signé un formulaire que Mimi a rempli pour lui et qu'elle portera elle-même à la Régie des loyers. Elle a étonné Popa en remarquant que son loyer est relativement bas et que la Régie pourrait ne pas donner entièrement tort à Camille, surtout que la Régie donne de plus en plus rarement tort aux propriétaires. Il devrait se préparer à un compromis (il n'en est pas question), prévoir une bonne augmentation de loyer (ce qui la scandalise autant que lui). Quant au hangar, c'est perdu d'avance. L'Hôtel de ville a juré la démolition de tous les hangars du quartier. Elle le comprend de refuser de partir, il ne sera nulle part mieux qu'ici. Chère petite-fille à Grand-Popa! Il aurait cependant à vivre sans hangar. Sa fenêtre donnerait directement sur la ruelle comme quelqu'un qui n'a pas de devant. Les difficultés, les batailles qui s'annoncent avec ce Camille Desrochers l'épuisent d'avance. Et comme l'a suggéré Mimi, il faudrait que ses enfants l'aident à couvrir l'augmentation. Il n'en est pas question. Il préfère s'en aller. Cent fois.

Elle est repartie d'un pas vif malgré la fatigue. Les examens de sortie et le rapport juridique pour la fin de mars en plus de tous ces vieux à torcher, c'est trop. Elle devrait en laisser tomber. Chère petite-fille! Du moins seront-ils ensemble jusqu'à Pâques. Elle est si proche de lui et si différente! Comme la vie et son rêve. À certains moments, tout est parfaitement vrai et simple entre eux, chacun prend plaisir dans l'autre sans rien de pervers ou de clandestin et en l'absence de toute concupiscence, pour parler comme le saint homme, la vie rêvée. Ce qui arrive avec Titomme ne se produirait pas avec Mimi.

Son fils a soutenu encore une fois que la cuisine de la rue Fabre est le lieu le plus étouffant, le plus insupportable et que Popa ne devrait pas y rester un instant de plus. Il en veut encore à Sucrette de n'avoir pas réussi «à placer leur père», comme il dit. Titomme le traite comme s'il était à enfermer avec la grande noire. Rien que d'y penser, se dit Popa, ça me prend à la gorge et le poulet ne peut plus passer. Il écarte pour un instant son assiette et, afin de se détendre, parcourt *Le Devoir* du mardi 7 juillet ouvert à la page 7.

Propriété à vendre.

Occasions d'affaires. Arrêtez de rêver. Soyez n° 1 dans votre propre commerce. (Le reste se perd dans le spaghetti.)

Décès. (Non, c'est plein de mensonges.)

La météo dans le monde. Aberdeen, nuageux 18 degrés. Amsterdam, nuageux 20 degrés. Ankara, nuageux 30 degrés.

C'était hier le 17 mars, la Saint-Patrice. Demain la fête de saint Joseph. Des plaques de gazon jaune ont surgi dans les parterres. Pâques s'en vient. Il part à Pâques, c'est entendu. Ça ne servirait à rien de s'accrocher. Ce sera autre chose qu'une petite visite rue Laurier. Où ira-t-il? Rejoindre Moman. Comment? Par le moyen de la résurrection. Il manque cependant d'information. Sans doute sait-il plus ou moins comme tout le monde qu'il aboutirait, c'est une figure, à la Jérusalem éternelle, au ciel du ciel, selon Augustin qui est avare de détails, où Dieu mon Créateur accueille les siens dans le sein d'Abraham, ce qui est encore une figure. Il vient à Popa l'image d'un POPA géant berçant éternellement les siens dans sa CHAISE immense. Popa et Moman sont baptisés, Il les laissera grimper sur ses genoux. Ce qu'ils en auront à se raconter! Elle ne lui passera rien, elle voudra savoir dans quel état il aura laissé les enfants. Approuvera-t-elle ses complaisances pour les lubies de Titomme? Le poulet a pris le goût des haricots. Pourquoi Titomme était-il donc entré chez son père? Oui, oui, pour le rapport d'impôt comme chaque année vers cette date. Il a demandé les reçus et les factures. Popa s'est mis à louvoyer.

— J'ai pas eu le temps de préparer rien.

— Je vais t'expliquer, a dit Titomme trop lentement et trop doucement, tu vas comprendre, c'est pas compliqué.

Popa n'avait qu'à lui remettre tous ses papiers en vrac comme un bon garçon. Un commis de Titomme ferait le tri et les calculs. Mais Popa se méfiait, son fils se montrait trop pressé de le sortir de la cuisine.

— Je veux y mettre de l'ordre moi-même.

Il craignait qu'on se serve des papiers pour le placer en tutelle avant qu'il ne puisse partir.

— Bon! Arrête de niaiser. Il faut que je fasse ton bilan.

Sur le ton d'un père qui secoue un peu son enfant sans cervelle.

— Je ferai pas de rapport cette année, a répondu Popa, parce que j'ai l'intention de partir à Pâques.

Titomme a remonté son pantalon avec irritation.

— C'est ça qu'on veut, que tu déménages à Pâques, mais ça te dispense pas du rapport. L'impôt te rejoindra n'importe où. Pense pas pouvoir y échapper.

Titomme, des fois...

— Après Pâques, tu fouilleras dans mes papiers tant que tu voudras. D'ici là, sacre-moi patience.

Il y a quand même des limites. Titomme s'est aussi froissé de ce que Mimi s'occupe de l'argent de Popa.

— Une femme de ménage dans ta banque! As-tu perdu la boule? Elle pourrait te rouler!

Il voulait dresser immédiatement l'inventaire des biens de son père, meubles compris. Popa a eu chaud, il ne se souvient plus comment il a détourné Titomme du projet. Peut-être son fils y a-t-il renoncé de lui-même parce qu'il n'avait plus assez de temps. Il se souvient que Titomme s'est levé rageusement, comme un père qui n'en peut plus de son garçon bouché des deux bouts, et qu'il a dit comme pour lui-même:

— Sacré vieux fou!

Il s'est demandé si Titomme allait lui donner la fessée. Tout est possible entre un père et son fils, je peux le dire, se dit Popa, je connais le chapitre. Titomme, en courant presque, s'est dirigé vers la porte, mais s'est arrêté à l'entrée du corridor comme déjà son frère Titoine. Il a relevé son pantalon avec ses coudes. Popa a cru qu'il allait s'excuser de sa grossièreté. Au lieu de ça, sans avertissement, de toutes ses forces, il a crié :

— Maudite vieille cuisine de marde !

C'est leur refrain à tous, leur dernier recours. Quand ils ne savent plus à qui s'en prendre, ils se jettent sur la cuisine. Cela se nomme un trait de famille, se dit Popa. Titomme a allumé une nouvelle cigarette. Il se prépare un beau cancer.

— Vas-tu te décider à en sortir, a-t-il dit entre deux bouffées, ou bien va-t-il falloir t'enterrer dedans ? Que je voudrais donc la mettre en petits morceaux !

C'était puéril chez un homme de quarante-cinq ans, et sans rapport avec l'impôt. Popa a attendu calmement. Titomme a tiré sur sa cigarette en déambulant dans la cuisine maudite. Popa n'a pas ouvert sa télévision, ni son livre, ni son journal, ni sa fenêtre, rien, malgré le désir qu'il en avait. Cherchez-en, des pères qui en feraient autant. Titomme s'est mis à rappeler le passé, ça remontait par gros mottons.

— Dans ta maudite cuisine de marde, tout est déjà arrivé, tout est fini, usé, mort.

Titomme aurait été enchaîné dans cette cuisine avec toute la famille jusqu'à la fin de ses études, jusqu'à ce qu'il puisse sacrer son camp. Il en porterait encore les marques. Pas plus que les autres, s'est dit Popa, mais il a laissé Titomme dégorger, ça ne pouvait que lui faire du bien. Son fils a énuméré des événements sans importance vécus par lui dans cette pièce et oubliés par tous à part lui. Il ressemblait étonnamment au saint homme. Popa ouvre

Les Confessions au livre dixième, page 211. Vous allez voir.
« C'est là, dans les vastes palais de la mémoire, que je me
rencontre moi-même, que je me souviens de moi-même,
de ce que j'ai fait, du moment, de l'endroit où je l'ai fait;
c'est là que se tiennent tous mes souvenirs... » Titomme a
fait de la maudite cuisine de marde son palais mnémonique,
comme dit le saint. Il a gémi contre la vieille cuisine qui,
d'une visite à l'autre, depuis des années, ne change pas
d'un poil et conserve tout ce qu'on a jamais été dans ses
vastes sinuosités, ses obscures retraites, ses secrets et
ineffables replis (c'est plutôt le saint homme qui parle
ainsi) et empêche Titomme de devenir un homme. Il a
déjà, ici, rêvé d'empoisonner toute la famille, Moman
exceptée, et de mettre le feu à la maison parce que les
autres le dérangeaient dans ses devoirs d'école. Il s'est
souvenu aussi d'avoir renversé une bouteille d'encre sur la
table en se disputant avec la grosse Sucrette. Popa s'est
fait accuser de conserver la table avec la tache indélébile
dans le seul but de faire toujours honte à Titomme. Et
cetera, et cetera. Où allait-il chercher tout ça?

Popa écarte définitivement l'assiette de poulet froid, se
verse une tasse de thé et approche le carré aux dattes.
Avant même d'y toucher, il sait que les dattes auront,
comme le reste, pris le goût des haricots.

Peu à peu le discours de Titomme a changé de cap. À
voix basse, presque honteusement d'abord, il a convenu
qu'il y avait au moins ça de stable, la cuisine, même si on
n'y mange plus les plats de Moman. Ici ses parents l'ont
dorloté, adoré, jusqu'à l'arrivée de Sucrette. Ici il s'est
traîné à quatre pattes, il a risqué ses premiers mots, ses
premiers pas. Comment voudriez-vous que cette cuisine
lui soit indifférente? Elle est parfois une maudite vieille
cuisine de marde, mais elle est aussi... Il n'a pu exprimer
ce qu'elle était d'autre, il a seulement déclaré:
— Va jamais la changer, je te le pardonnerais pas.

Comme Surette déjà. Titomme voulait que son père demeure éternellement dans sa cuisine immuable. Son garçon charriait un peu. Qui souhaite rester poigné éternellement dans sa cuisine? Quand Titomme lui a demandé une photographie de sa mère, il a été pris de court.

— Quelle photo?

— Celle qui était sur un mur du salon dans un cadre en bois foncé.

— Un portrait de ta mère? Tu es sûr?

Popa ne se souvenait pas. Titomme a voulu se rendre au salon.

— Non, non, inutile, il y a plus rien sur les murs.

Paroles imprudentes. Titomme aurait pu ne pas comprendre les détachements de son père. Mais son garçon décrivait déjà la photographie, prise dans un studio professionnel, qui montrait Moman assise, tenant son bébé sur ses genoux, c'était Titomme, et Popa debout derrière eux. Popa s'est vaguement souvenu d'une visite chez un photographe de la rue Mont-Royal dont il a oublié le nom. Titomme, lui, ne se souvenait que de la photo.

— On a dû la jeter.

Ça peut arriver en faisant le ménage.

— La jeter?

— En tout cas, je l'ai plus.

Titomme a regardé son père avec indignation. Cette image était pour lui celle de la sérénité et de l'innocence, la preuve matérielle que le bonheur existe ou a pu exister. Comme tous les comptables agréés, Titomme est désespérément sentimental.

— Comment as-tu fait pour perdre une image pareille?

— Je le sais pas, tu demanderas à ta mère.

Après tout, il n'a qu'à venir quand elle est là. C'est vrai que Moman, comme la grande noire, a toujours été bien trotteuse, de sorte qu'on ne sait jamais d'avance si elle sera là ou pas là.

Titomme s'est plaint de ne toucher à rien, de ne rejoindre rien, à son âge. Bon! c'est comme ça pour tout le monde, a pensé Popa. On ne peut blâmer personne parce que les images disparaissent. Titomme a demandé:

— Comment c'était dans ce temps-là?

— Comme sur ton image.

Il venait d'entrer comme inspecteur à l'Hôtel de ville. Leur Titomme était bien fin, bien beau et il faisait le bonheur de ses parents. Titomme s'est assis timidement à côté de son père.

— Quand j'étais dans les bras de Moman, tout était simple, je touchais à tout, je rejoignais tout.

Comment en être certain? Popa aussi parfois souhaiterait retourner vers ces années. Avant Noël, il avait trouvé encore mieux, si on peut dire, mais je pense l'avoir dit, il s'était retourné vers nulle part, il avait tout bloqué, tout effacé ou presque, rien ne l'atteignait plus. Du moins faisait-il comme si. Il avait quasi rejoint la grande noire. Il ne faut souhaiter ça à personne. Il préfère encore se sauver comme Moman. Popa repousse son carré aux dattes auquel il n'a pas touché. Il a horreur du sucré, surtout avec un arrière-goût de haricot.

— Des fois, Popa, a dit Titomme, je voudrais encore être dans les bras de Moman.

— Ton Popa aussi, des fois.

— Ça reviendra plus, ce temps-là.

— Mais oui. Moman va rentrer tout à l'heure. Viens faire un beau dodo sur les genoux de Popa en attendant. Aie pas peur, Popa te mangera pas. Mais éteins ta cigarette.

Quand je ne serai plus là, les enfants ne pourront pas m'accuser de leur avoir refusé quelque chose, se dit Popa. S'ils n'ont pas grandi, ce ne sera pas ma faute. Il l'a bercé de son mieux. Ce n'est pas facile de bercer un gros homme

109

comme Titomme. Popa voulait qu'il se sente bien, qu'il se laisse aller. Titomme suçait doucement son pouce. Il l'a bercé, bercé. Titomme a demandé un biberon de lait avec une tétine. Ce n'était pas dans le jeu, mais Popa doit admettre que c'était une trouvaille. Il a grondé son bébé.

— Exagère pas, mon Titomme. Popa est pas organisé pour ça. Contente-toi de ton pouce. Ah! si ta mère peut revenir du marché! Popa, il a pas seulement ça à faire, bercer son bébé.

— Popa va-t-il encore amener Titomme avec Moman rue Mont-Royal?

— Oui, oui, mon tit bébé.

Ils ont babillé ainsi un bon moment. Popa a voulu faire plus. Il a pris dans ses mains la grosse tête vieillie de son tit bébé, il a embrassé son cher Titomme sur les joues, sur le nez, partout, comme au temps de la rue Mont-Royal.

— Mon beau tit bébé.

Popa aussi jubilait. Sans doute consentait-il à ce voyage à l'envers pour son garçon d'abord, parce que les vieux enfants ne cessent d'en redemander. Mais il y trouvait pour lui-même un énorme contentement, celui de rendre service. Il a donc minouché son tit bébé comme il n'avait pas eu le temps, ou la chance, ou le souci de le faire à l'époque. Son tit enfant ne se plaignait plus de ne toucher à rien. Popa n'a rien ménagé, il a même chanté une tite chanson. C'était un dernier bonheur ensemble, déchirant, caricatural, mais on s'en moque. On aurait dû s'en contenter. Il ne manquait que Moman dans ce nouveau portrait de la rue Mont-Royal. Titomme a dit:

— Popa, pipi.

C'était aller trop loin.

— Pipi, Popa.

Titomme a commencé à se tortiller.

— Dans le pot à Popa.

Déjà Titomme en bavait de plaisir. Popa a bien hésité, puis il a accepté de satisfaire une dernière fois l'ultime caprice de son petit. Ce n'était pas l'ultime, mais il l'ignorait.

— Sors ta tite quéquette.

— Peux pas, Popa.

Il regardait son père d'un œil coquin.

— Même pas capable de sortir sa quéquette tout seul à son âge! Lève-toi, a dit Popa.

Ce lui fut un soulagement, le fardeau lui sciait les cuisses, mais il a dû tout faire: ouvrir la braguette, sortir la quéquette, ramasser le pot de chambre, orienter vers le fond du pot le jet qui giclait jusque sur la télé. Le tintement sur le pot de plastique a fait rire Titomme. Popa aussi. Ce fut un moment heureux. Puis Titomme s'est mis à pleurer. Qu'est-ce que je t'ai dit? Qu'est-ce que je t'ai dit? Pourquoi pleures-tu?

— Parce que c'est encore plus bon que le pipi, Popa.

Titomme avait cessé de pisser et pleurait de plus en plus. Il riait et pleurait comme s'il avait choisi de remplir le pot de ses larmes.

— Toi aussi, Popa.

D'abord, il n'a pas compris. Titomme demandait-il qu'ils mêlent leur pipi dans le pot? Voulait-il à son tour aider son père à faire pipi comme dans un manoir de l'Âge d'or, le dimanche?

— Pleure, toi aussi, Popa.

Ce n'était plus des enfantillages.

— Popa pleure jamais.

Ça n'avait plus de rapport avec rien. Mais Titomme disait, sans cesser de rire et de pleurer:

— Il faut, Popa, il faut, c'ééééé bon!

— Rentre ta quéquette.

— Tu manques quelque chose, Popa.

— Votre père, c'est comme ça qu'il est. Point.

Titomme alors a fait une tite colère et a accusé son père de tricher.
— Tricheur, Popa!
De juste faire semblant, d'être incapable de pleurer.
— Cœur sec, Popa!
Popa a été sauvé par la cloche. Titomme a crié:
— Moman!
Popa a dû le détromper.
— Ça peut pas être Moman parce que Moman, elle a sa clé pour entrer. C'est la Popote volante. Cache ta quéquette.

Popa a déverrouillé à distance et s'est précipité pour préparer la table. Titomme a vite essuyé ses larmes, rangé sa quéquette et son pot. La bonne dame volante est apparue, son panier de Chaperon rouge sous le bras. Elle a sorti ses trésors en disant des amabilités à Titomme et à son père qui, trop secoués tous deux et mal revenus, n'ont rien trouvé à répondre. Titomme s'est souvenu qu'il était pressé. Il a salué la dame volante d'un mouvement de tête gêné, il est venu pour embrasser son père comme dans le temps qu'il était dans les bras de Moman, il s'est rappelé qu'on n'en est plus là et il est disparu dans le corridor sans un mot, sans même s'engager à revenir à Pâques chercher les papiers pour le rapport d'impôt.

Je vais vous dire, j'espère que c'est la dernière fois que celui-là fait son bébé. Il boit son thé à petites gorgées pour dissoudre la boule qui lui bloque la gorge. Comment convaincre les enfants qu'un père ne peut pas, en même temps, les bercer, les rassurer et puis pleurer? Ce n'est pas qu'il manque de larmes, ses réserves sont intarissables, une mer. Souvent il se voit ainsi: dérivant sur une mer de larmes, agrippé à son radeau et perdu au-dessus de cette mer. S'il lâche prise, il se noie dans ses pleurs. Moman n'a jamais cru qu'il avait le cœur sec, il l'a plutôt dans l'eau.

À la recherche d'un réconfort, il tire à lui *Les Confessions*. Il lui suffit de tenir le livre, comme parfois la main de

Moman. Au contraire de Popa, elle a toujours eu la larme facile. Le saint homme aussi, tout Berbère qu'il fût : Popa l'a souvent vu pleurer. Quand, jeune homme, il a perdu cet ami plus cher que tout. Quand, dans le jardin de Milan, il s'étendit sous un figuier, qu'il ne retint plus ses larmes, que les fleuves de ses yeux débordèrent et qu'il poussa des cris pitoyables. Quand sa mère est morte, qu'il est resté des jours sans verser de larmes, mais un motton pesait sur son cœur plus qu'une montagne, puis, « je laissai couler mes larmes que je retenais, je les laissai couler à leur aise, ce fut comme un lit sous mon cœur : il y trouva le repos. » Titomme et le saint homme ont le même langage : il faut se laisser aller et c'est meilleur que tout. Moi, se dit Popa, j'attends Pâques.

Il dessert la table sans se presser. Le repas était très bon comme d'habitude. Dans l'évier, la vaisselle sale. Dans la poubelle, les restes du repas (en réalité toute la popote). À côté du pot de chambre que Titomme n'a pas vidé, *Le Devoir*. Un autre jour, peut-être ira-t-il au fond de la page 7, si le journal n'est pas trop beurré par les passages de la Popote et s'il se reconnaît encore dans sa gazette. Jusqu'à Noël et l'arrivée de Mimi, Popa et son journal se situaient dans un rapport constant, *Le Devoir* fixé dans son 7 juillet et Popa figé hors du calendrier, installé dans sa berçante avec son journal de juillet et ses *Confessions* du quatrième siècle jusqu'à ce que tout tombe en poussière ou cesse d'être lisible. Depuis que Popa est revenu dans le circuit, le journal s'éloigne, ses nouvelles vieillissent. Popa a beau essayer de le lire comme avant, son journal se ride un peu plus chaque jour, les éclairs et les sourires deviennent des grimaces ou des clins d'œil, comme dans un couloir de manoir d'Âge d'or. Popa admet que ses rapports au *Devoir* sont d'un ordre particulier. Jamais il n'aurait développé avec un journal de Winnipeg, avec *Le Monde* ou le *New York Times* de la même date, des relations aussi perverses.

Quelle journée rude! *Les Confessions* restent seules sur la table. Il se tourne une dernière fois vers Augustin. Au livre dixième, chapitre XXVII, le saint homme chante, et Popa chante avec lui.

« Tard je vous ai aimée, Beauté si ancienne et si neuve, tard je vous ai aimée. Vous étiez au-dedans de moi et moi, j'étais en dehors! Vous étiez avec moi et je n'étais pas avec vous. Ce qui me retenait loin de vous, c'était ces choses qui ne seraient pas si elles n'étaient en vous. Vous m'avez appelé et vous êtes venue à bout de ma surdité; vous avez étincelé, et votre splendeur a mis en fuite ma cécité; vous avez répandu votre parfum, je l'ai respiré et je soupire après vous; je vous ai goûtée et j'ai faim et soif de vous; vous m'avez touché, et je brûle du désir de votre paix. »

Voilà, se dit Popa en refermant son précieux livre, comment il faut parler de Moman.

XI-Une remplaçante

Sa pensée s'est collée à l'obstacle, elle en fait le tour, elle l'ausculte dans le noir. Un cancer fait peut-être son nid au fond du gosier. En s'aidant du miroir de la cuisine, quelle petite bête, quelle bille ou quelle éclisse découvrirait-il en travers du pharynx? Il faudrait allumer, se lever... Ah! penser à autre chose, rêver à Moman, dormir et faire glisser la bille ou la petite bête dans l'oubli. Détourne-toi, pensée! comme dit souvent le saint homme. Popa ne sait pas se faire écouter. Plus le temps passe, si c'est encore du temps, plus l'angoisse lui noue la gorge. Si seulement quelqu'un pouvait l'entendre, il appellerait, comme ses enfants autrefois. Aussitôt Moman se levait, les prenait dans ses bras, les rassurait et ne les quittait pas qu'ils ne soient rendormis. Cet après-midi, il a bercé Sucrette, et elle est repartie libérée. On se fait ça quand on s'aime. Moman ne se lèvera pas pour lui. Elle se conduit comme s'il n'existait plus. À l'époque, il la blâmait de sauter du lit au moindre appel d'un des petits. C'était, disait-elle, afin que les malaises d'un seul ne réveillent pas toute la maison. Il lui reprochait de se prêter à leurs caprices: ils font semblant d'avoir peur pour qu'elle se précipite. Aujourd'hui, Moman n'accourrait pas, car les cris de Popa ne réveilleraient personne.

Il s'assoit, rallume la lampe. À côté du réveille-matin, le livre XI marqué d'un signet. «Quelle est cette lumière qui m'éclaire par intermittence et qui frappe mon cœur sans le blesser?» La phrase, qu'il avait soulignée, lui est revenue dans le noir. Il la relit et relit comme si la question du saint homme pouvait devenir une réponse. Il a une bien grande envie de cette lumière même fugace qui éclaire un instant le cœur d'Augustin. Une heure moins dix. La nuit commence à peine. Il n'a jamais aimé le noir, mais qui l'aime?

Dans deux jours, le premier avril, et Pâques dans deux semaines. Jamais il n'a été aussi attentif au temps qui passe. C'est aussi la grande préoccupation du vieil évêque qui en a fini avec le récit de sa vie, il est au bout de son rouleau, il regarde autour de lui, il essaie de voir clair. «Qu'est-ce que le temps? Si personne ne me le demande, je le sais; mais si on me le demande et que je veuille l'expliquer, je ne le sais plus.» Le saint homme s'est longtemps intéressé à tout, comme Popa, à la science, à l'éloquence, au théâtre, aux femmes, puis il s'en est repenti. Et là, Popa ne peut pas le suivre, il ne se repent de rien, il se détache seulement, et c'est aussi difficile et douleureux que le repentir. «Quelle est cette lumière qui m'éclaire par intermittence et qui frappe mon cœur sans le blesser?» Le jour de sa lampe ne répand pas cette clarté réservée aux saints hommes.

Pour s'endormir, comme pour partir, comme pour naître, il faut se détacher. Depuis Noël, il y travaille, aidé par Mimi, soutenu par le saint évêque.

Par exemple, il a réussi à écarter la bière. Il n'en a pas commandé au dépanneur depuis des semaines.

Il a desserré ses liens avec sa maison. Mimi a terminé son grand ménage de Pâques, Popa achève le sien. Que dira Moman de ses décisions? Il n'aurait demandé qu'à discuter de tout cela avec elle, mais elle n'est jamais là.

Il se détache de la berçante. Depuis que le temps est plus doux, il s'assoit souvent au boudoir, devant la fenêtre, comme Moman, en s'enveloppant comme elle d'un vieux plaid. Il se prive alors de télévision, mais il peut surveiller la rue, et si jamais Moman y passe... Il se tenait dans la fenêtre cet après-midi quand Sucrette est descendue de voiture. Elle a monté l'escalier sans même un coup d'œil à la fenêtre tant il est devenu pour elle improbable d'y apercevoir quelqu'un.

Il souhaite partir sans sa canne. Parfois il la laisse à côté de la berçante et marche de grands bouts, jusqu'au boudoir, en s'appuyant seulement un peu au mur.

Et partir sans pot de chambre. Quelques mois plus tôt, il aurait cru cela impossible. Déjà il le laisse dans la chambre. Le jour, il se rend à la salle de bains et il y arrive toujours à temps. Autrefois c'était sa peur : arriver trop tard. S'il gardait le pot sous la chaise, c'était aussi qu'il arrimait tout autour de lui comme sur un radeau. La nuit cependant, il place encore le pot près du lit.

Il a reçu tous ses enfants à tour de rôle, Sucrette a été la dernière. Chacun a eu sa part. Plus tard, de loin, il verra s'il peut quelque chose pour eux. Il n'a rien promis, il ne veut pas prendre un engagement impossible à tenir peut-être. Avec Mimi, la coupure est faite, la plaie est toute vive.

Popa a beau se forcer, il ne trouve plus de plaisir à vivre ici. Partir sera une délivrance. Il en a assez de s'acharner à garder Moman vivante malgré les autres : toutes ses forces y passent.

Il frissonne. C'est mars, et Moman a déserté le lit. Il attrape sa robe de chambre et s'en enveloppe. Le poêle serait-il à court de mazout ? Popa n'a pas vérifié la jauge du réservoir sur le balcon et Mimi ne vérifie plus rien. Que revienne l'été ! Il n'y aura plus d'été. Les saisons n'ont plus de sens. Moman seule en a encore.

Jeudi de la semaine dernière, il s'est morfondu devant la fenêtre du boudoir à guetter l'arrivée de Mimi. À la fin, il a téléphoné au CLSC. Les Grandes Lettres l'ont laissé moisir au bout du fil pour se consulter entre elles, puis lui ont expliqué que l'auxiliaire ne pouvait visiter ses vieux aujourd'hui et qu'on ne disposait pas de remplaçante. Il est resté muet, l'oreille à l'écouteur, le coup était imprévu, il fallait qu'on lui laisse le temps d'inventer un fion, une colère, des cris suffisamment articulés. Les Grandes Lettres ont raccroché avant.

Hier, il attendait Mimi d'un pied ferme, il avait eu le loisir d'articuler ses cris. Il avait posé le pot de chambre sous la berçante sans le vider. Depuis une semaine, depuis la dernière visite, il n'avait pas pris son bain; il souhaitait sentir mauvais et qu'elle s'en aperçût. Il gardait même en réserve un retour de cystite et d'arthrite pour bien la punir. Il se conduisait comme un vieil enfant, il en convient, et le Seigneur qui sait l'avenir, s'il sait quelque chose, devait se tenir les côtes. Popa ne s'est pas installé dans la fenêtre du boudoir comme la fois précédente par crainte que son indignation ne fonde avant que Mimi n'arrive au balcon. Quand elle a sonné, il n'a pas bougé de son trône. Il a poussé le bouton de la télécommande et lancé dans l'interphone:
— Entre!

Il a entendu la porte s'ouvrir et se refermer, et il s'est carré dans sa royale berçante, l'œil au plafond, mais surveillant l'entrée. Comme elle n'apparaissait pas, il a crié:
— Qu'est-ce que tu brettes?

Il n'a pas saisi la réponse et surtout pas reconnu la voix. Il est venu au corridor et s'est trouvé nez à nez avec un grand niaiseux en train de suspendre un manteau.
— Qu'est-ce que tu fais dans ma maison? Qui t'a permis d'entrer?

— Monsieur Laberge? Je suis envoyé par le CLSC.

Mimi n'y travaille plus. Elle a démissionné. Le grand zozo la remplace dorénavant. Popa n'a pu retenir son nom. Pour simplifier, il l'appelle « la remplaçante », ce qui colle parfaitement au tata. Sans perdre un instant, Popa a téléphoné aux Grandes Lettres qui ont confirmé le verdict. Il en est resté assommé et il a laissé la remplaçante envahir la cuisine et vider le pot de chambre.

Il refuse de condamner Mimi. Elle est partie en sauvagesse, mais elle avait certainement de bonnes raisons. Elle est débordée par ses rapports et ses examens, elle n'est plus elle-même. Et ça faisait trop de grands-pères et de grands-mères pour une seule petite-fille.

Le tata l'a appelé « Monsieur » gros comme le bras. S'il avait osé dire « Grand-Popa », il se serait fait revirer. Ce n'était pas que la remplaçante manquait de bonne volonté, mais tout ce qu'il entreprenait irritait Popa qui a essayé de lui faire honte. Comment pouvait-il enlever aux femmes un travail qui leur appartient, pour lequel elles ont des dons? Il a répondu avec un sourire niais:
— Je fais ça en attendant.

Une réponse à la Titoine. En attendant, « la remplaçante » ne s'est pas aperçu qu'il n'a pas pris de bain depuis une semaine et commence à sentir fort. Mimi s'en serait rendu compte dès l'entrée.

Le grand tata ne sait pas faire la cuisine; et que pourrait-il cuire, sinon des choses molles, longues, fades, à son image? Les petits plats équilibrés de Mimi, Popa ne les doit qu'à la bonté de sa petite-fille. Seigneur hâtez-vous de la secourir! Il lui faudra revenir aux conserves quand il sera à court de Popote volante.

Le départ de Mimi a créé un autre problème. Il avait reçu son chèque de pension et avait besoin d'argent pour Pâques. Autrefois Mimi se serait chargée de l'encaisser pour lui. Il a songé à demander ce service à Sucrette, mais

119

elle aurait posé trop de questions. Il ne pouvait confier le chèque à la remplaçante qu'il ne reverra peut-être jamais, qu'il n'a pas envie de revoir. Il s'est rendu lui-même à la Caisse de Saint-Stanislas au risque de rencontrer Yvon qui loge en face de la Caisse, dans le Manoir de la rue Gilford.

Jusqu'à la rue Laurier, le trajet a été un plaisir ou l'aurait été si Mimi, plutôt que sa remplaçante, lui avait tenu le bras. Au-delà de Laurier, les difficultés se sont multipliées. Pour le retour, le tata l'a forcé à monter dans un taxi. Popa est heureux de s'être débrouillé et peut espérer se rendre assez loin à Pâques pour qu'un retour soit impossible. Surtout s'il part en taxi.

Il s'assoit sur le rebord du lit. Mimi ne reviendra plus. Il soulève le vase de nuit et, en évitant que sa quéquette ne touche au pot glacé, il attend sans impatience un mince écoulement. Ces derniers temps, elle s'habillait plus légèrement. Elle avait écarté le loden et les nombreuses pelures d'hiver pour des mauves et des roses de Pâques. C'était un plaisir de la regarder remonter la rue. Personne ne dira plus comme elle «Grand-Popa». Ça me faisait comme un lit sous le cœur. Heureusement, elle a terminé le grand ménage, de sorte que Popa ne laissera derrière lui qu'une coquille vide.

Le pipi est terminé depuis combien de temps? Il est assis sur le rebord du lit, le pot entre les cuisses. A-t-il dormi? Il fait froid. Il dépose le vase dont il n'a rien renversé. Il a maintenant des chances de se rendre au matin sans se réveiller. Si seulement la boule pouvait s'en aller.

Aujourd'hui (doit-il dire hier?) ce n'était pas le jour de Mimi selon l'ancienne façon de compter. C'était sans doute jour de Popote. Popa ne peut plus rien avaler. Quasiment. N'exagérons rien. Il a comme une arête à travers la glotte. Il se glisse sous les couvertures, mais ne

120

se résout pas à éteindre. Y a-t-il eu la Popote, ce midi ? En cherchant bien, il se souvient de la dame volante et du panier, mais pas du contenu. C'est égal, c'était très bon. Il faudrait toujours tout noter. Quand Mimi lui demandait le menu de la dernière Popote et qu'il avait oublié comme maintenant, mais elle ne l'interrogera plus, il lui décrivait des mets imaginaires. Elle éclatait de rire, Popa aussi. Maintenant il fait surtout semblant de manger. Mais il va très bien, il va mieux que jamais, comme il a dit à Sucrette. À peine un peu d'insomnie, et quelle importance ? Il reste tellement peu de temps, qu'est-ce que le temps ? Avant qu'il ne rencontre Mimi, le temps lui semblait une matière immobile et molle dans laquelle il s'enfouissait pour s'oublier. C'était comme un temps où le temps n'était pas. S'il lisait saint Augustin, c'était pour se perdre, pour s'enfoncer dans ce qui lui paraissait agréable et dépourvu de sens. Dépourvu de sens comme Popa. Il lui semble maintenant qu'Augustin a du sens, qu'il a essayé, comme lui-même, de passer d'une époque dans une autre, d'un monde dans un autre, de sortir du temps comme on passe du dedans au dehors qui le contient. À la différence du bon évêque et malgré le respect qu'il lui porte, Popa n'est pas persuadé qu'il y a un dehors pour donner du sens au dedans. Tout est dedans ou il n'y a rien dans rien. Devrait-il éteindre ? Dans le noir, la boule se gonfle comme une bête qui a peur. Attendons.

Que nous est-il arrivé après la Popote ? Il s'oblige ainsi à des exercices de mémoire. C'est étonnant tout ce dont on se souvient encore quand on s'en donne la peine, quitte à inventer des bouts comme lorsque Mimi lui demandait le menu. Après la Popote ? Il a rangé les restes qui dureront bien deux ou trois jours. Et puis ? Il est venu au boudoir, selon sa nouvelle habitude, surveiller la rue en espérant, sans y croire, qu'apparaisse Mimi prise de remords, accourant s'excuser, ou Moman les bras chargés de cadeaux comme aux fêtes. Ce fut Sucrette dans sa voiture compacte. Parce qu'il devait une dernière fois serrer sa fille aînée sur son cœur, il est venu à la porte lui-même avant qu'elle ne sonne.

— M'attendais-tu?

Elle était toute contente, c'était touchant à voir, mais pressée, ils sont toujours pressés, elle n'arrêtait qu'en passant, pour vérifier que son père ne manque de rien. Elle se rendait cueillir sa fille, Anaïs ou Noémie — les enfants d'aujourd'hui portent des noms abominables — à la sortie du cours de danse. Par habitude, Popa lui a dit:

— Tu tombes mal: ta mère est allée faire un bout de prière à l'église. C'est le carême, et tu sais comme elle devient pieuse en vieillissant.

Ce pouvait être vrai, la mère de Popa était comme ça. Sucrette et lui auraient pu parler longtemps de Moman et de ses dévotions. Mais Sucrette est restée un instant bouche ouverte, fixant son père, puis elle a dit:

— Il me semble que tu parles enrhumé.

— Juste une petite irritation de la gorge.

Pour ne pas l'alarmer, il lui a caché son cancer, mais passons vite là-dessus, qu'il essaie justement d'oublier en se remémorant la visite de Sucrette.

Elle ne s'est pas aperçue qu'il ne s'est pas lavé. Autrefois elle avait l'œil plus perçant et le nez plus fin. C'est par de tels signes qu'on mesure combien ses propres enfants se sont éloignés. Leur cœur, leurs intérêts sont de plus en plus massivement ailleurs et ça rend la conversation difficile. Bien.

Elle lui a parlé d'une chambre, plutôt un studio qu'une chambre, avec kitchenette et salle de bains, qu'on devrait libérer bientôt.

— Le vieux qui l'occupe serait-il en train de crever?

Il n'était pas obligé de dire ça. La pauvre Sucrette en a changé de couleur et ses yeux se sont remplis d'eau. Elle s'est levée comme pour aller chercher sa fille, Noémie ou l'autre, elle s'est recomposée, elle s'est rassise. Elle a demandé d'un ton faussement léger, car sa voix tremblotait:

— Et la Popote roulante?

Elle persiste à l'appeler roulante même si Popa lui répète qu'elle arrive en panier.

— Bien convenable, a-t-il répondu. Et moi, je vais très bien, je vais mieux que jamais. Mais j'ai bien hâte que ta mère revienne, c'est pas une vie.

Il n'a pas pu s'étendre sur le retour de Moman, Sucrette s'est agitée encore, elle s'est levée, elle a examiné les armoires, la dépense, le frigo pour s'assurer que son père ne manque de rien, c'est d'une bonne fille, mais elle en fait trop.

— Il me semble que tes tablettes se vident.

Il l'a rassurée: on fera un grand marché pour Pâques, et Moman leur prépare son gâteau des anges.

— Veux-tu, a-t-elle proposé, je vais te cuire du sucre à la crème? Il y a ce qu'il faut et c'est vite fait.

— Pas maintenant, ma Sucrette, c'est encore le carême. Attends à Pâques.

Il n'avait pas le goût vraiment du sucre à la crème à cause de la bibite qui l'empêche d'avaler.

— Qu'est-ce que je peux faire pour toi, Popa?

— Tiens-toi tranquille, ma Sucrette.

— Veux-tu que je t'aide pour aller aux toilettes?

— J'ai pas envie et je peux maintenant faire ça tout seul.

Elle a dit:

— Tu as plus du tout besoin de moi, je m'en rends bien compte.

— Et toi, a-t-il répondu, je comprends pas que tu aies encore besoin de moi.

— Une fille a toujours besoin de son père.

C'était une belle réponse. Elle s'est ensuite installée sur ses genoux. Les autres attendent d'être invités, pas elle. Mais c'était sans doute la dernière fois. Elle a ouvert son corsage. Elle ne demande pas si on en veut, elle donne, et elle n'accepte pas de refus.

— Juste un peu, a-t-il dit pour être aimable.

Ce n'est jamais assez, elle insiste à vous en enlever le goût. Mais ça passe mieux que le sucre à la crème, ça ne demande pas d'effort, on n'a qu'à se laisser faire et qu'à se bercer, car Sucrette exige qu'on se berce en même temps. Pendant qu'il était ainsi occupé, elle s'est aussi vidé le cœur.

— C'est effrayant de te faire ça!

Elle lui fait ça parce qu'elle l'aime et qu'elle pense sans cesse à lui, seul dans sa grande maison, exposé à tous les accidents et à tous les hasards, crise cardiaque, thrombose, hémorragie cérébrale au milieu de la cuisine et personne autour. Elle imagine pire encore, elle en est malade. Si les enfants le placent dans un quelconque manoir, c'est parce qu'ils l'aiment et qu'ils ne veulent plus s'inquiéter. Ça leur fend le cœur, mais ils n'ont pas d'autre choix.

Elle a fini par se taire heureusement. On s'est bercé encore. Elle se sentait un peu saoule, a-t-elle dit, comme si c'était elle qui avait bu. Elle ne se plaignait plus de rien et ne se comparait plus aux autres. Il n'y a pas eu le moindre pleurage, au grand plaisir de Popa qui commence à en avoir assez de toute cette mouillure dans son cou. Elle lui a raconté des finesses et des folies de ses enfants, pas comme une mère, mais comme si elle avait été une enfant elle-même. C'était beaucoup plus drôle. Ils ont ri aux éclats, Moman en aurait été jalouse. Cependant, Anaïs, ou Edmire, attendait sa mère à la sortie du cours. Sucrette ne s'est pas arrachée facilement à son père, elle aurait aimé s'endormir sur ses genoux comme autrefois, ça l'aurait reposée pour longtemps.

— On recommencera, a-t-elle promis.

Elle est repartie soulagée, détendue. À qui donnera-t-elle le sein quand il sera parti? Qui jamais la bercera comme son Popa? Quand je n'y serai plus pour les bercer et les purger de leurs excès, se dit Popa, ce sera le signe qu'ils doivent à leur tour apprendre à leurs enfants ce que je leur ai moi-même enseigné. Amen.

Au lieu d'éteindre, il se rassoit et tourne les pages du livre XI. La petite bête semble endormie. «Que celui qui comprend vous loue et que celui qui ne comprend pas vous loue aussi. Car vous relevez ceux qui sont abattus, et ils ne tombent pas, ceux qui grâce à vous restent debout.» C'est une bonne chose à savoir, se dit Popa. Il éteint la lampe, s'étend dans son lit et remonte les couvertures.

XII- Les ténèbres régnaient sur l'abîme

Le dernier repas est pris. Difficulté d'avaler, mais ça achève. Sa gorge se serre par instants sur il ne sait quoi. Au téléphone, il parlait d'une voix étranglée.

— Encore le rhume? a demandé Sucrette.

Elle lui a trouvé un logement enfin, pas au bord de l'eau malheureusement, mais dans un beau grand parc, au cinquième ou au quatrième étage d'un manoir du troisième âge. Deux fois par semaine, un minibus scolaire conduit les résidents au centre commercial voisin et les attend pour les ramener.

— Qu'est-ce qui te fait rire? a-t-elle demandé.

Malheureusement la chambre, ou le studio, ne sera libre que le premier mai. Demain elle viendra avec les trois autres, c'est Pâques. À Noël, aucun ne s'était montré. Ensemble, ils régleront son déménagement. C'est déjà fait, a-t-il dit. Sucrette n'a pas compris, elle ne pouvait pas. Demain elle comprendra.

Huit heures du soir. Déjà. Il se berce une dernière fois, la main sur l'appui de la chaise comme sur le cou d'un chien fidèle. Samedi saint. Ça n'y paraît pas. Ce jour-là, Moman terminait son grand ménage, voyait au bain et au linge des enfants, préparait l'agneau ou le jambon du lendemain. Popa mettait la main à la pâte, ou plutôt à la viande en tant qu'ancien boucher. L'espace d'un éclair, c'est sa mère à lui qu'il a vue à la place de Moman, mais de l'une à l'autre, c'était même samedi saint, même agneau, même résurrection, même monde disparu. S'il cessait de se bercer et prêtait l'oreille, il entendrait peut-être la machine à coudre. Moman cousait tard, mais à Pâques, Sucrette et Surette paradaient dans des robes neuves. Jamais elles ne partaient pour la messe avec plus de joie que ce matin-là. Popa rit tout seul. Il faut rire, pour le moral. Pâques était une grande fête. L'église sortait tous ses ors et ses feux. Le ciel était rouvert. Dieu mon Seigneur avait vaincu la mort. On verra demain si c'est toujours vrai.

On est bien dans la berçante à rêver du bon temps. On fait semblant d'être bien. Ça tremble sans arrêt depuis le matin entre le ventre et l'estomac. Où avait-il la tête quand il a décidé de partir à Pâques? La gymnastique de Mimi, les promenades rue Laurier, les bains de mousse, la Popote volante et l'abstinence de bière ne l'ont pas rajeuni d'un jour. Ce qu'on gagne d'un bord, on le perd de l'autre. Il ne traîne plus son pot de chambre, ses jambes ont désenflé, mais voilà qu'un cancer fait son nid dans sa gorge. Heureusement les enfants l'ignorent. Il n'a pas plus envie de partir maintenant qu'au mois de janvier. S'il savait au moins où il abordera!

Préfère-t-il le cinquième ou le sixième étage d'une tour dans un parc et, deux fois par semaine, l'excursion jusqu'au centre commercial en minibus scolaire avec des petites mémères? Moman ne reviendra plus. As-tu compris, Georges-Aimé? Il ramasse son *Devoir* au pied de la chaise et l'ouvre à la page 7.

«À Montréal, le 5 juillet, à l'âge de 68 ans, est décédée Mme Laurette Laberge née Marcil, épouse de Georges-Aimé Laberge, ancien fonctionnaire municipal, mère de

René, époux de Lise Dion, d'Huguette, épouse de Larry Clément, de Suzette et d'Antoine. Elle laisse aussi plusieurs petits-enfants. Les funérailles auront lieu. »

Les funérailles ont eu lieu. As-tu compris, Georges-Aimé? S'il veut la retrouver, il doit passer de l'autre bord à son tour. Au matin de Pâques, il se juchera sur une hauteur, comme on dit dans la Bible. Quand le soleil se lèvera, il essaiera de se jeter sur le chemin du Seigneur. «J'ai erré comme une brebis perdue, mais j'espère être rapportée vers toi, Laurette, sur les épaules de mon pasteur. » C'est sénile et risqué. Cela laisse du moins une marge, mince, d'espoir. Il a vainement cherché d'autres façons de faire le saut. S'il était de la génération de sa mère ou de celle de ses enfants, sans doute s'y prendrait-il autrement.

«Ô demeure brillante et lumineuse», dit le saint homme de ce ciel du ciel que Popa atteindra sur les épaules de son pasteur. Laurette rêvait d'une telle maison, grande, claire, entourée d'un jardin, pour élever sa famille. Si elle s'est arrêtée quelque part, c'est là.

Il ouvre les yeux et ne se reconnaît plus. Les enfants revenaient de l'école. Il les a entendus dans le corridor. Il les a vus entrer dans la cuisine et l'emplir de leur excitation. Cela le fait rire. Il a entendu leur mère, mais il ne la voyait pas. Il a de plus en plus de difficulté à la voir, même en songe. Elle était avec eux dans le corridor, elle leur parlait, puis les enfants ont envahi la cuisine, sans leur mère. Il n'a plus envie de rire. L'angoisse cachée dans le rêve répand son poison.

Il se lève et remonte le chauffage. Onze heures vingt! Il ne voulait pas dormir! Il était persuadé qu'il ne pourrait pas à cause de tout ce qui reste à faire, à cause de l'excitation: depuis le matin, ça tremble sans arrêt dans son ventre. Cette nuit de Pâques, il s'était promis de la passer debout, à se préparer. Comme au temps d'Augustin. Et il s'est endormi dans sa berçante. Piège à vieux! Il lui réglera son compte avant de partir.

Il ne faut plus raisonner, mais agir. Se laver, se raser, s'habiller pour le voyage, partir avant l'aube afin d'être là quand le Seigneur passera, s'il passe, et «faites qu'à l'abri de vos ailes, je persévère sagement dans cette évidence». Popa ouvre les robinets. Il n'est pas entré dans sa baignoire depuis trois semaines. Nul ne s'en est aperçu. À son âge, on ne se salit plus, se dit-il, et personne ne s'intéresse à son odeur. Il ajoute à l'eau du truc à bulles, comme du temps de Mimi. Il avait rêvé de partir avec elle, tout en sachant que c'était impossible. Il n'avait aucun droit de l'exposer à une telle aventure, pas plus qu'il n'y entraînerait ses enfants. Il emmènera toutefois le saint homme qui connaît les passages. Quand Laurette le verra arriver, tout beau, tout propre et bien peigné, elle lui sautera au cou peut-être, et tous les petits malentendus seront effacés. Il se dirige vers sa chambre.

Ça tremble sous son cœur, c'est toujours ainsi les veilles de voyage, toujours la même excitation, la même angoisse. Quand on partait avec les petits pour les vacances sur une plage de Nouvelle-Angleterre. Les enfants ne sont pas tenables; on se demande ce qu'on oubliera cette fois; leur mère s'énerve; leur père se fâche; mais on va vers une autre vie, infiniment désirable. Pourvu qu'on n'ait pas d'accident!

Les souvenirs l'ont arrêté dans le corridor. Si je me laisse aller, je ne partirai jamais, se dit-il en entrant dans sa chambre conjugale et vide. Le lit et la commode, voilà tout ce qui reste, alors qu'il y a peu, c'était plein comme un musée.

— Donnez-en, Grand-Popa, ça vous fera pas mourir.

C'est à voir. Il prend des sous-vêtements propres dans la commode. Une première fois, les Glaneuses de la rue

Jeanne-d'Arc lui avaient envoyé deux gros glaneurs. Non sans réticences, il leur avait abandonné des choses que Mimi avait sorties de la chambre à débarras. Plus tard, ils sont revenus pour la salle à manger et le boudoir. L'autre jour, il les a demandés de nouveau.

— Emportez tout!

Presque tout. Les glaneurs ont hésité. Il a dû leur expliquer qu'il cassait maison et que ses enfants ne voulaient pas de ses antiquités. Il prend sa robe de chambre dans le placard. Il ne laissera qu'une coquille vide. Il part comme il est venu : sans rien. Sur la paille à Noël et, à Pâques, les mains vides. Entre les deux, ce ne fut ni facile ni simple. En donnant ses meubles, il s'est ôté l'occasion de changer d'idée au dernier moment. Quand les enfants découvriront la maison dégarnie, il vaut mieux que leur père soit parti vers un monde meilleur.

Cher grand lit vide, tellement glacé depuis qu'elle n'y vient plus! Quand on a vécu si longtemps ensemble, ça ne devrait jamais finir. C'est ce qu'il y a eu de plus cruel dans sa vie, et il est temps que cette cruauté prenne fin.

En passant, il tire de la lingerie la grande serviette de bain rose. Elle s'effiloche, mais elle est la plus douce. Après avoir accroché sous-vêtements et robe de chambre derrière la porte, déposé la serviette sur le rebord de la baignoire, il se dirige vers la cuisine en enlevant sa veste de laine qu'il ne remettra plus. Il la place sur le dossier d'une chaise droite en prenant soin que le dossier ne déforme pas l'épaule. Laurette a toujours été intraitable là-dessus. Il apporte dans la salle de bains *Les Confessions* au cas où. Il n'ouvrira jamais plus son *Devoir*. Porte fermée pour garder la chaleur, il s'assoit sur le couvercle de la toilette et commence à se dévêtir.

La fenêtre et la glace se sont embuées. Il ferme les robinets. L'eau est juste assez chaude. Il range ses lunettes à portée de la main, à côté des *Confessions*, et, nu comme un catéchumène la nuit de Pâques, il descend dans le bain et les bulles.

Enfant, il a longtemps cherché comment on vient au monde. Par la gorge? Le nez? Le cul? Certains disaient : par le nombril, mais il ne l'a jamais cru. Les grands souriaient en gardant leur secret. Dans quelques heures si tout va bien, il sera délivré. Il sortira de ce monde comme on quitte les ténèbres et le vide d'avant la naissance. C'est dans le livre XII. Qu'il a hâte d'être expulsé et d'atteindre ce lieu, ce rien, ce ciel du ciel dont parle le saint homme et où Laurette l'attend si on peut s'y attendre!

Enduit de mousse, enfoui jusqu'au menton dans l'eau juste assez chaude, délivré de son poids, enveloppé de douceur, comme porté par quelqu'un déjà, il est bien. Il a envie de chanter tant il est bien. On ne le pousse pas encore. On l'attend. Les bulles s'accrochent à ses joues. Il y a longtemps qu'il n'a pas été aussi abandonné. Malgré sa gorge crispée, il entonne une mélodie discrète, prudente, qui ne réveillera personne. Elle monte du plus profond de lui. L'air et les mots n'ont aucune importance, il ne donne pas un concert. C'est gai, vif, mais retenu pour ne pas forcer la gorge. Il pourrait se taire sans que cesse la musique. Il chante : « C'est la dernière fois que je prends mon bain. » Comme, enfant, il chantait : « C'est demain le jour de l'An » ou : « C'est le dernier jour de l'école ». Son souffle fait danser les bulles. Il se laisse emporter. La voix s'enfle, emplit la baignoire, la salle de toilette, affole les bulles prises dans les remous de la voix. Plus rien ne lui serre la gorge, la boule a fondu, la petite bête est passée de l'autre bord. Il la cherche de la main tout en chantant. Pas plus de boule qu'avant la visite de Titomme, ou la fuite de Mimi. S'il avait su, il aurait chanté plus tôt. Je suis vraiment sénile, et il éclate de rire. C'est bon d'exprimer ce qu'on éprouve sans craindre que ça fasse mal. Il chante à pleins poumons, sans discrétion, sans restriction, comme du temps des fêtes d'amis à leur taverne de la rue Craig : « C'est la dernière fois que je prends mon bain. » Je suis vraiment sénile. Il rit encore parce qu'il n'a jamais été plus près du bonheur.

Ne plus trembler de froid. Ne plus sentir mauvais. Ne plus se vêtir et se dévêtir. Ça se chante. On fait sortir ses malheurs, ses ennuis, ses dégoûts, ses regrets même, en musique. Ne plus manger, ne plus dormir. Ne plus craindre de souffrir. Ne plus emplir et vider le pot. N'avoir plus à le laver, à le désinfecter. Être délivré de tout. Le saint homme dit, Popa ouvre son livre : « Libéré de la dispersion et de la laideur présentes. » Quitter la rue monotone, la maison inconfortable, la cuisine démodée où elle s'activait pendant que deux des enfants, à chaque bout de la table, faisaient leurs devoirs et qu'un troisième s'installait sur les genoux de son père, puisqu'elle ne reviendra pas. Il faut chanter cela aussi.

S'il essaie, malgré tout, de rester, on démolira son hangar. S'il échappe au propriétaire qui entreprend de l'expulser, il n'évitera pas les centres d'hébergement et autres hospices, ni surtout l'hébétude dont il sait la main sur lui. Pas de quoi chanter. Il n'a plus rien, pas même de télévision donnée aux glaneurs. Il est poussé dehors. Il doit s'en remettre à Dieu mon Seigneur qui tient tout s'il tient quelque chose, et qui cache tout de sorte qu'on s'avance comme un aveugle ou un simple d'esprit. La mélodie s'est arrêtée, épuisée. Même le saint homme se pose des questions. « Où est-il ce ciel que nous ne voyons pas ? » Viendra-t-elle à sa rencontre pour le guider ? Aura-t-elle beaucoup changé ? La reconnaîtra-t-il ? Le reconnaîtra-t-elle ? Peut-elle faire ce qu'elle veut ? Là où elle est, veut-elle encore ? Là où elle est, est-elle encore ? Comme dit le saint homme, ou un autre, là où il n'y a plus de temps, y a-t-il encore de l'être?

— Moman!

Il s'est levé si brusquement qu'il doit s'appuyer au mur. Debout et nu, de l'eau, des bulles jusqu'aux mollets, il frissonne. Il sort vivement de la baignoire. Il a beau s'essuyer et se frotter, il ne se réchauffe plus. Il s'enveloppe dans la grande serviette rose, s'assoit sur le rebord du bain qui glace ses fesses nues. Mimi ne reviendra plus. Augustin dort depuis quinze cents ans dans une ville ensevelie. Laurette est loin, de l'autre bord. Il est totalement abandonné, il n'a de contact qu'avec une vieille baignoire au rebord froid. Quelque chose s'agite au fond de lui qui n'est pas un chant. Ça monte et monte, Popa essaie d'empêcher ça de sortir, mais son gros ventre et ses maigres épaules sont secoués de frissons, puis de sanglots d'une telle force qu'il en est terrassé. Il glisse sur le sol, il n'a pas trouvé de genoux pour l'accueillir, de cou pour recevoir ses larmes et ses cris.

— MOMAN!

Plus tard. Sautons par-dessus ce moment de faiblesse, se dit-il, la face couverte de mousse blanche. Il se fait la barbe. J'apparaîtrai à mon meilleur. Une crinière blanche de chef d'orchestre, et frais rasé. Il ne chante pas. Ce n'est plus nécessaire : sa gorge demeure parfaitement libre. Et pas de larmes. Tout est au plus-que-parfait, comme dans un authentique club Optimiste.

Plus tard, dans sa chambre, il s'habillera pour le voyage. Il mettra son costume gris que Laurette préfère et la cravate qu'il a reçue d'elle en cadeau. Il ne lui reste que ce costume et cette cravate, les Glaneuses ont emporté le reste. Ce sont des glaneurs. Il prendra son manteau de printemps avec le foulard de Surette, celui qu'elle lui a donné à son anniversaire. Et sa casquette. Il déteste les chapeaux.

Quand Sucrette a téléphoné, il n'a rien dit de son départ. Ils ne comprendraient pas, ils sont trop jeunes encore. Il leur laissera un mot sur la table. Laurette n'avait rien laissé. Elle est partie comme une voleuse par un matin de juillet, sans un mot, en emportant ce qu'il avait de plus précieux. Il n'a pas mesuré sur-le-champ la valeur de ce qu'elle avait pris, mais peu à peu, de petit vide en petit vide. Il ne lui restait que du vide. Pas de larmes.

Plus tard. Il est debout dans sa chambre conjugale, au pied du lit conjugal. Je leur donne. J'espère que je n'oublie rien, se dit-il aussi. Son argent. Sa canne : il l'apporte, c'est plus prudent. *Les Confessions*. Finalement, non. Il se sépare ici du saint homme. Il y a des voyages qu'il faut accomplir seul. Une dernière fois, il feuillette le livre.

Ô Vérité, lumière de mon cœur, faites taire les
ténèbres qui m'enveloppent.
Ô demeure brillante et lumineuse.
Le chant n'est pas organisé pour devenir son,
mais le son pour devenir chant.
Car il n'y a que le néant qui ne vienne pas de vous.
Ô demeure brillante et lumineuse.
Ô ténèbres.
Ô Vérité.

Il aura beaucoup aimé le livre douzième et apprécié la compagnie du saint homme, ces derniers mois. Il veut le remercier. Merci bien, saint homme. Le livre treizième reste à visiter. Il laisse ce plaisir à d'autres. Bon.

Il lance *Les Confessions* sur le lit conjugal et quitte la chambre.

Il a demandé un taxi. Il doit partir avant le soleil et ne plus regarder en arrière. Il sort de sa maison. On l'attend.

Le ciel commence à s'éclaircir. Ô Vérité, faites taire les ténèbres qui m'enveloppent. Une bouffée d'air frais frappe Georges-Aimé qui remonte le col de son manteau, puis, sans illusion, mais plein d'optimisme, s'engage dans l'escalier extérieur en faisant claquer sa canne sur chaque marche.

XIII- Fiat Lux!

Témoignage de Suzette Laberge

— Comme je ne demeurais pas loin, j'avais pris un taxi. À pied, ç'aurait été plus agréable, car il faisait un temps de Pâques comme quand j'étais petite, mais j'avais déjà appelé une voiture. Le printemps venait d'arriver, en retard comme d'habitude, et moi, je voulais être à la maison la première. Depuis la veille, je n'étais plus la même. On avait eu une soirée complètement décadente, j'aurais dû me sentir moche. Au contraire, je marchais sur la ouate, j'avais des ailes. Ce high-là m'était venu comme un flash en mettant le nez dehors avec mon compagnon qui se rendait rejoindre des copains dans les cafés de la rue Saint-Denis sans se douter de ce qui l'attendrait au retour. Je me suis vue comme le jour de ma première communion : toute blanche et frémissante, prête à m'envoler. Je suis une grande sensitive, comprends-tu ? J'ai ressenti un frisson mystique juste là, sur mon balcon de la rue Boyer, sans me douter alors que c'était mon père qui me faisait signe. J'aurais pu marcher sur les fils électriques comme je ne sais plus quelle sainte. Où en étais-je ? Excuse-moi. Je me perds souvent, mais je me retrouve toujours. Heureusement. C'est pour mon père que j'avais mis, sous mon manteau léger à col de fourrure, une petite robe rose à motifs de fleurs. Papa ne passait jamais de remarques sur mes costumes, mais je voyais dans son œil si ça lui plaisait. Et d'habitude, tu peux me croire, ça lui plaisait. J'apportais un cadeau dans un emballage dont j'étais pas mal fière. Il faut que je te dise : l'emballage, c'est ma spécialité. Depuis que je ne fais plus de photos nue, je me suis recyclée dans l'emballage publicitaire. C'était un vide-poche en tissu. Sur chaque pochette, j'avais brodé une branche fleurie. La broderie, ça me défoule. J'imaginais déjà mon vide-poche sur un des murs de la cuisine et, après le premier mai, sur le mur du logement que ma sœur Sucrette lui a déniché en banlieue. Il me semble que ce n'est pas ce qu'il fallait pour Papa. Enfin, passons. Donc sur un de ses murs. Quand on gagne sa vie dans la publicité, on s'arrange pour être vu, et je voulais que mon père sache, en apercevant mon vide-poche, que je pensais à lui sans arrêt. Je me suis toujours beaucoup occupée de lui. Depuis la mort de Maman, je l'ai gâté de mon mieux tout en respectant sa solitude. Pas besoin de te dire que je ne me résignais pas à l'idée de le sortir de sa maison. Je préférais ne pas y penser. Aussi suis-je arrivée rue Fabre dans le meilleur esprit du monde et joyeuse comme une première communiante. Ah! ma robe! Je m'en souviens encore! C'est Maman qui me l'avait faite. En organdi. Ça me descendait jusqu'aux pieds. Avec un grand voile blanc retenu par une couronne de... Excuse-moi, je me perds encore. J'ai trouvé la porte grande ouverte. C'était d'autant plus étonnant que mon père verrouillait toujours. J'ai pensé qu'il était sorti un instant sur le balcon et avait oublié de mettre le verrou en rentrant. Ou que ma sœur était arrivée avant moi et n'avait pas refermé. Dès l'entrée, j'ai appelé sans recevoir de réponse. J'étais la première, Papa s'était endormi dans sa berçante. Voilà ce que je me disais, comprends-tu? Et j'étais heureuse de disposer, avant l'arrivée des autres, d'un moment d'intimité avec mon père, j'ai toujours désiré très fort ces moments de fusion dont ma mère était jalouse. C'est mon petit côté mystique. J'ai cherché mon père dans toutes les pièces. La maison m'a paru étrange, mais j'allais vite. C'est ensuite que j'ai reçu un flash : elle était toute nue comme moi du temps où je faisais de la photo d'art. Les gens ne vous reconnaissent plus quand ils vous revoient habillée. Les meubles avaient disparu à part la table et les chaises droites de la cuisine et, dans la chambre, le lit et la commode. Qu'est-ce qui était arrivé ? Où mon père s'était-il caché ? Je me suis affolée, j'étais en colère contre lui. Avait-il déménagé sans nous le dire ? Dans la grande maison vide, je me sentais comme dans un tombeau dont le mort se serait échappé en laissant la porte ouverte. J'ai toujours été pour la nudité, mais celle des corps. Ici, il n'y avait plus de corps. Comprends-tu ? J'ai entendu des pas dans l'escalier et je me suis précipitée vers le balcon. C'était Titomme.

Témoignage de René Laberge

— J'étais venu pour régler le départ de notre père et son rapport d'impôt. Il m'avait promis de me laisser fouiller dans ses papiers. C'était chaque année la même bataille, il refusait de me confier ses documents tout en me demandant de préparer son rapport. Notre père n'en était pas à un enfantillage près, et il m'arrivait, je l'avoue, de manquer de patience avec lui. Comme j'atteignais le balcon, ma sœur Surette a surgi sur le pas de la porte et a paru déçue de me voir, mais elle l'est toujours, de sorte que son attitude ne m'a pas surpris. Elle portait une robe tellement voyante qu'elle aurait été mieux de ne pas en avoir. Elle m'a appris que notre père n'était plus là. Je leur avais dit souvent : il n'est plus en âge de vivre seul. On aurait dû le placer il y a longtemps dans une maison de retraite où il aurait été protégé. C'est une solution inhumaine quand on aime son père, mais en connaissez-vous une autre? Juste comme on allait le placer, il s'était sauvé. Et ma sœur m'annonce que les meubles aussi ont disparu. Je me suis dit : bon! qu'est-ce qui l'a pris encore? Je suis entré pour juger moi-même de la situation. C'était des meubles de série, vieux de trente ou quarante ans et sans grande valeur, mais ils appartenaient au petit patrimoine qui devait nous revenir. Je me suis inquiété de l'argent de notre père, de ses placements et de ses dettes, tout en sachant que cela représentait un bilan bien modeste. Naturellement j'ai voulu prévenir la police, ma sœur s'y est opposée. Je me disais : il faudrait que la police l'attrape avant qu'il n'aille trop loin. Je me disais : il est peut-être entré d'urgence à l'hôpital. Mais les meubles?

Témoignage de Suzette Laberge

— J'ai fait comprendre à Titomme que Sucrette et Titoine arriveraient peut-être avec Papa, qu'ils sauraient peut-être où il était. Puisque la porte était ouverte, il ne pouvait pas être loin. Il avait pu sortir pour une promenade, pour faire ses Pâques par exemple, ça revient à la mode. S'il avait été mort, il aurait été là, on l'aurait vu. Le tombeau était vide. Mon raisonnement n'était pas parfait, c'était plutôt un flash de première communion, mais c'était mieux que de se jeter dans les bras de la police. Titomme a voulu visiter les tiroirs de la commode à la recherche d'indices et surtout de papiers pour l'impôt. Je l'ai arrêté en lui rappelant qu'il se ferait sortir tête première si Papa le trouvait dans ses tiroirs. Il a toujours eu bien peur de son père. Dans la chambre, sur le lit, j'avais trouvé *Les Confessions* de Papa, il les gardait d'habitude à côté de sa chaise dans la cuisine. Un signet marquait le livre XIII. Je me suis mise à lire en attendant les autres, Titoine,

Sucrette et Papa. Je suis tombée sur une phrase qui m'a jetée en transe. Attends que je la trouve, tu vas voir. «Je me sens mal partout où vous n'êtes pas, non seulement hors de moi, mais en moi-même.» Ça me faisait penser à la Religieuse portugaise, tu sais, les *Lettres*... En amour, moi aussi, je suis très portugaise. Ensuite : «Et toute abondance de biens qui n'est pas mon Dieu n'est pour moi que misère.» C'est pas beau? C'est moins érotique, moins «religieuse portugaise», si tu veux, mais que mon père, petit inspecteur retraité qui vivait depuis quarante ans dans la même maison de la rue Fabre ait trouvé son plaisir dans cette lecture, ça me paraissait passablement orgastique. Tu as raison, je m'égare un peu, excuse-moi. Je te trouve *cute*.

Témoignage de René Laberge

— On est revenu dans la cuisine pour attendre Sucrette et Titoine. C'était la seule pièce où on pouvait s'asseoir. C'est alors que je me suis rendu compte que la chaise berçante avait aussi disparu, comme le téléviseur, comme le télésélecteur que nous lui avions donné. Et aucun signe de bataille. Notre père ne s'était pas opposé à ce qu'on vide sa cuisine. Je me disais : l'ont-ils d'abord assommé avant de lui enlever sa berçante et son téléviseur? S'est-il fait saisir pour dettes, et expulser du logement? À la suite de quelle folie? On ne savait plus quoi penser. On pensait n'importe quoi. Mettez-vous à notre place. Si j'avais su! Mais je ne pouvais pas savoir. Quand on a sonné, Surette, excitée comme d'habitude, a ouvert l'interphone et elle a crié : «C'est toi, Papa, enfin?» «Es-tu folle? Ouvre-nous!» C'était Sucrette et Titoine.

— La veille, j'avais téléphoné à Papa pour lui rappeler notre visite. Il m'avait paru très bien à part un petit mal de gorge. Pour lui apprendre aussi que je lui avais trouvé quelque chose dans une résidence pour personnes âgées pas loin de chez moi et qu'on préparerait ensemble son déménagement. Il avait ri et ça m'avait donné un coup. Je savais que la visite serait pénible. J'en avais d'avance le cœur en compote. En passant, j'avais pris mon frère Titoine pour m'assurer qu'il soit là. Ça nous a mis en retard. C'est toujours moi qui dois m'occuper de tout et ensuite ils me critiquent. Surette et Titomme nous ont ouvert. Si vous aviez vu sa robe! Rose bonbon, avec des fleurs grandes comme des parapluies. J'ai beau me presser, elle arrive toujours avant moi. C'est facile, elle n'a pas d'enfants et elle habite dans le quartier alors que moi, j'ai le pont à traverser. En plus, j'avais été retardée par mon mari qui voulait monter à Saint-Faustin avec les petits. Et j'avais dû attendre Titoine qui travaille de nuit à l'hôpital Notre-Dame et ne se réveillait plus. J'ai sonné à sa porte pendant au moins dix minutes. La première phrase de Surette et de Titomme a été: «Savez-vous où il est?» Notre père avait disparu. Ses meubles aussi. Quand j'ai constaté que la berçante était partie comme le reste, j'ai reçu un coup au cœur. Cette chaise-là, il faut être de la famille pour comprendre le rôle qu'elle a joué dans nos vies. Elle était partie avec lui? Puis j'ai aperçu sa veste de laine sur un dossier. Il ne l'enlevait que pour se coucher, et encore! Elle a je ne sais pas quel âge, et il n'en veut pas d'autre. On a essayé de la remplacer par une neuve, il a toujours refusé. Je l'ai reprisée avec de la laine de toutes les couleurs, celle qu'on trouvait dans la maison, parce qu'on avait pas le droit de la sortir, même pour la laver. Je lui avais cousu des coudes en chamois pour cacher les trous. Quand je l'ai vue, posée avec soin sur le dossier de la chaise comme le voulait Maman, en plein jour, ça m'a donné un coup, vous savez. Là j'ai fait le tour de la maison. Ses vêtements avaient disparu à part sa robe de chambre, à terre à côté du lit. Maman n'aurait pas été contente. À part un tas de linge sale, ses vêtements de la veille, dans un coin de la salle de bains. Maman n'aurait pas accepté ça. Son vieux journal dont j'ai souvent essayé de le détacher parce que je trouvais malsain de relire constamment le numéro qui rapporte la mort de Maman il y aura trois ans l'été prochain, son *Devoir* du 7 juillet auquel il tenait comme à un trésor, je l'ai retrouvé, déchiré, dans la poubelle de la cuisine. Ça m'a donné un coup aussi. J'ai examiné les armoires et le réfrigérateur. C'était propre et presque vide. Une boîte de biscuits Social Tea déjà ouverte, deux boîtes de ragoût Cordon Bleu. Comme si Papa, prévoyant son départ, n'avait pas fait d'achat pour rien. Si mon affection ne m'avait pas rendue aveugle, j'aurais su déjà qu'il était parti pour toujours. Surette avait flash par-dessus flash en lisant un vieux livre de prière et parlait de se mettre toute nue comme son père; un de ces jours, on sera forcé de la faire enfermer. Deux ou trois fois, j'ai dû arracher le téléphone des mains de Titomme. J'étais réticente à mêler la police à nos histoires, j'avais peur qu'on nous oblige à parler de la chaise berçante, et que ça s'étale ensuite dans les journaux, vous savez.

Témoignage d'Antoine Laberge

— Je n'ai pas voulu entrer dans leur problématique ni leur exaltation, en fin de compte. Je les ai laissés fouiller dans les placards et inventorier le linge sale de leur père comme des petits freudiens frustrés. Moi, j'ai seulement regardé s'il y avait de la bière dans le frigo. Je me disais, en fin de compte, que si Papa avait obtenu un bon prix pour ses meubles, tant mieux pour lui. Si je le pouvais, je vendrais ce que j'ai, mais je n'ai rien, et je partirais en voyage. Il n'y avait pas de bière. Ce jour-là, j'étais totalement et définitivement écœuré de l'hôpital Notre-Dame. Il y a tellement mieux à faire, la nuit. Alors j'ai pensé à la voisine au-dessus, et j'ai dit aux autres que notre père était peut-être allé visiter un voisin, lui avait peut-être confié où il comptait passer son jour de Pâques. À moi, il avait déjà déclaré son intention de partir en voyage. C'était vague et je ne le prenais jamais au sérieux. J'avais peut-être tort. J'ai suggéré à Titomme d'interroger le voisin du dessous. Je suis monté chez la voisine que j'avais entrevue déjà en venant chez Papa, et ceux qui me connaissent te diront que, pour les femmes, j'ai un œil maudit. Elle était là. Pas mal. Ça me changeait de la cuisine jaune, mais c'était moins excitant de près que de loin. Tu pourras aller voir. Elle a de la bière. On a surtout parlé de mon père, en fin de compte. La nuit d'avant, elle l'avait entendu chanter, passé minuit, puis crier : Maman ! Elle s'était demandé quoi faire. Elle avait pensé que le vieux avait pris un verre et s'étais mis à parler tout seul. Plus tard, vers la fin de la nuit, elle ne pouvait pas dire à quelle heure exactement, elle avait été réveillée par le bruit. Il fendait du bois sur le balcon d'en arrière. Un moment, elle avait songé à demander la police, puis elle a pensé qu'à l'occasion de Pâques, il avait dû se payer une brosse du jour de l'An. Elle avait seulement eu peur qu'il se blesse avec sa hache.

Témoignage de Richard Payette qui habite au rez-de-chaussée

— Un petit gros, le plus vieux de ses enfants, est venu me demander si son père était ici. Le bonhomme Laberge, je sais qu'il reste au-dessus, mais on ne se connaît pas, il est jamais venu me bâdrer, je suis jamais allé le déranger.

144

C'est pour ça qu'on s'entend bien. J'ai rien contre lui, il fait jamais de tapage, il met pas le nez dehors. Le petit gros m'a dit que leur père était pas dans sa maison. J'ai dit au petit gros qu'il devrait avoir honte. On a pas le droit d'abandonner son vieux père comme il le fait. Ce vieux-là, il paraît qu'il est paralysé par les rhumatismes : il peut pas être parti. J'ai dit au petit gros de regarder mieux. Je lui ai dit : «Êtes-vous allé voir dans le hangar?» Qu'il se dépêche, le propriétaire doit démolir. Non, j'ai pas vu passer de meubles.

Témoignage de René Laberge

— Si notre père vivait seul, c'était qu'il l'avait voulu, qu'il avait toujours refusé la bonne maison de retraite qu'on lui offrait ; il y aurait été parfaitement bien et il ne nous aurait pas exposés aux accusations folichonnes des voisins. Je leur disais : «Si notre père ne voulait pas nous voir, il n'avait qu'à nous en avertir au lieu de nous faire perdre l'après-midi et de jouer avec nos nerfs.» Je leur disais : «Il aurait pu au moins nous laisser un mot.» Je ne savais pas encore. Et les meubles? Quand tu es l'aîné, les autres se tournent vers toi comme si tu connaissais toutes les réponses. J'ai suggéré la police. Mes deux sœurs m'ont accusé d'appeler le malheur. Sucrette a téléphoné au CLSC qui nous aidait à nous occuper de notre père depuis Noël. Personne. Les vieux peuvent disparaître, les fonctionnaires se reposent le dimanche. Il y avait aussi la femme de ménage du CLSC à qui notre père confiait ses livrets de banque qu'il refusait de me montrer. On ne connaissait que son prénom, Mimi, et on n'a pas trouvé son numéro de téléphone. Je leur ai dit : «Il y a peut-être là une piste.»

Témoignage de Mylène Routhier, ex-auxiliaire familiale au CLSC du Parc

— Je ne peux pas croire qu'il est disparu! Pauvre vieux! Il avait tellement besoin qu'on l'aime! Il me boudait chaque fois que je le quittais. Vous êtes certain qu'il n'est pas chez un de ses enfants? Il m'avait parlé de partir à Pâques, je croyais qu'il s'agissait d'une visite dans sa famille. Un de ses fils vit dans la Beauce, il me semble. Ses meubles ont disparu? Je lui avais suggéré d'en donner. La maison en était encombrée et il fallait le préparer à quitter son logement trop grand et trop cher. Il a donné tous ses meubles? Pas possible! Où est-il allé?

Témoignage d'Huguette Laberge

— Alors que je m'apprêtais à visiter le hangar et à jeter un coup d'œil du côté de la ruelle, sait-on jamais? J'ai aperçu quelque chose sur la galerie. Elle était là, en pièces. J'ai lâché un cri. Ils ont cru que c'était Papa. Tout le monde est sorti. C'était bien elle, défoncée, presque méconnaissable. Papa avait mis la hache dedans. Notre chaise berçante! La hache était à côté. Pour Titoine, c'était un geste d'auto-destruction. Pour Titomme, notre pauvre père avait perdu la boule, et moi, à ce moment-là, j'étais portée à lui donner raison. Je pensais: où c'est qu'il va s'asseoir quand il va revenir, et moi, quand je vais le visiter? Surette a prétendu qu'elle avait reçu un flash. Quelle sorte de flash? On ne l'a jamais su.

Témoignage de René Laberge

— C'est là, devant la chaise en miettes, que j'ai eu peur pour le rapport d'impôt. J'ai fouillé dans la poubelle, en dessous du *Devoir*. Des papiers, mais pas de l'impôt. J'ai fait les tiroirs de la commode. Rien, comme si notre père avait voulu devenir anonyme, s'effacer du monde, comme si on n'avait jamais eu de père. Mais j'ai trouvé ma photo, celle que je lui avais demandée à ma dernière visite. Elle était là, toute seule, dans un tiroir vide. Il l'avait et il avait refusé de me la donner. Vous dire ce que j'ai pensé de lui à ce moment! Ça ne se répète pas. Quand je suis revenu dans la cuisine avec ma photo, eux, ils avaient découvert le billet.

Témoignage de Suzette Laberge

— J'avais vu ce bout de papier sur la table dès mon arrivée et je pensais que c'était une facture. J'avais placé mon vide-poche bien enveloppé sur la table, à côté du billet ou dessus. Comment il se fait que mes doigts ont glissé jusqu'au billet, l'ont saisi, l'ont retourné? Je crois aujourd'hui que mon père guidait mes doigts. Quand j'ai lu «Chers enfants» et que j'ai reconnu l'écriture, j'ai crié: «Écoutez!» Et je leur ai lu le message. Ils m'ont demandé de relire plus lentement et sans crier, ils n'avaient rien compris. Ensuite, on est restés en état de choc. Que fallait-il penser? Que voulait-il dire? C'était trop et pas assez. Alors Titomme a sauté sur le téléphone.

Billet trouvé sur la table de la cuisine

Chers enfants,

Cherchez-moi pas. J'ai décidé de profiter du jour de Pâques pour rejoindre votre mère. J'ai bien hésité à partir, mais je ne pouvais plus rester. Faites-vous une tasse de thé. Il y a des biscuits dans l'armoire.

Georges-Aimé.

Témoignage de l'agent Paul Bérubé du district 34 de la police de la Communauté urbaine

— À quatre heures vingt-huit ce matin-là, la compagnie COOP a reçu un appel pour un taxi au 5225 Fabre. C'était l'adresse de M. Georges-Aimé Laberge, notre disparu. J'ai interrogé le chauffeur envoyé à cette adresse. Il a d'abord dit qu'il ne travaillait pas cette nuit-là, puis il a dit que ce n'était pas lui qui avait répondu à l'appel. Je lui ai conseillé de ne pas me prendre pour une valise, les appels reçus et distribués par son dispatcher sont enregistrés à mesure. Alors il a admis s'être rendu à l'adresse, mais il n'a trouvé personne. Je lui ai demandé s'il avait remarqué quelque chose d'anormal. Il a répondu : non. Je lui ai demandé si c'était lui qui avait laissé la porte ouverte. Là, il a juré sur la tête de sa mère, de sa femme, de sa fille qu'il n'avait pas touché à la porte, qu'il n'avait touché à rien. Pourtant je ne l'avais pas accusé encore et j'ai toujours été poli avec lui tout en restant ferme comme mon uniforme et mon devoir l'exigent. Il dit que ce n'est pas la première fois qu'on lui joue un mauvais tour. C'est pourquoi il n'a pas rapporté au dispatcher qu'il n'y avait personne. Je lui ai demandé ce qu'il avait fait ensuite. Là il a dit qu'il est reparti en direction du boulevard Saint-Joseph. Il a eu la chance de prendre un client à la hauteur de la rue Laurier. Là il a dit qu'il n'avait pas vu comment son client était habillé ni de quoi il avait l'air parce que c'était encore la nuit. Le client a demandé à être conduit à l'île Sainte-Hélène. Là mon nègre s'est rappelé que son client portait un manteau brun et une casquette, qu'il n'était pas jeune, qu'il marchait difficilement, avec une canne. Sur le pont Jacques-Cartier, mon Haïtien allait prendre le chemin de l'île, son client a demandé à descendre sur le pont, il préférait marcher un peu parce qu'il travaillait sur l'île comme inspecteur et qu'il était en avance. Le client a laissé un pourboire en disant : «Joyeuses Pâques, mon jeune.» Le chauffeur ne se rappelle pas exactement l'heure, mais il se souvient que le soleil s'est levé peu après.

Témoignage d'Huguette Laberge

— Pendant que Titomme téléphonait à la police, j'ai ébouillanté du thé, sorti les tasses et la boîte de biscuits puisque c'était la dernière volonté de mon père. On avait le caquet bas. Bien sûr on savait qu'il partirait un jour, mais pas si vite et pas comme ça. Je leur ai dit de s'asseoir à table, il faut tout leur dire. Et là, je les ai servis, Papa aurait trouvé que j'en faisais trop, mais il aurait été content de moi. J'ai versé le thé, j'ai fait circuler la boîte de biscuits, de vieux biscuits qui nous ont fait penser à lui encore plus. On n'a pas trouvé de lait pour le thé et ils ont refusé le mien. J'ai mesuré ce que j'avais perdu en perdant mon père. Je me sentais inutile, abandonnée. J'étais triste et en même temps bien contente de ne pas être à Saint-Faustin où on patauge dans la boue jusqu'aux genoux.

Témoignage de René Laberge

— J'ai eu beau expliquer à la police de ne pas venir ici puisque notre père n'y était plus, que l'important, c'était de se mouver les fesses pour l'attraper avant qu'il n'aille trop loin, la police a décidé de venir prendre nos dépositions, des photos et des empreintes pour leur service de recherche. J'appelle ça de la bureaucratie. En les attendant, Sucrette m'a versé une tasse de thé et j'ai accepté un biscuit que je n'ai pas mangé parce qu'il avait un goût de moisi. Je cherchais comment rejoindre notre père avant qu'il ne commette une folie. Sans preuve de décès, on n'imagine pas les problèmes de la succession à propos

149

d'assurances, de bail, d'inhumation, sans compter l'impôt. Tout en buvant mon thé, j'ai ressorti la photo. Vous l'avez vue? Ça, c'est Maman assise, elle me tient dans ses bras. Papa, debout, a mis son bras autour des épaules de Maman comme pour nous protéger sous son aile. J'ai dit à mon frère et à mes sœurs : « S'il y a quelqu'un qui a aimé notre mère plus que nous, c'est bien lui; pour la rejoindre il a tout risqué. Notre père nous donne une grande leçon d'optimisme et d'initiative privée. » À vous qui rapportez mon témoignage, je vous dis : « J'espère réussir mes enfants aussi bien que notre père a réussi les siens. » (René Laberge m'a fait signe qu'il ne pouvait continuer, il pleurait trop.)

Témoignage de Suzette Laberge

— On était assis autour de la table et Papa se tenait au milieu de nous. C'est lui qui nous avait ainsi rassemblés pour réfléchir à l'exemple qu'il nous laissait. On s'est sentis proches, proches. J'aurais voulu qu'on se tienne les mains, qu'on laisse parler nos cœurs, monter nos flashes. Les autres ont refusé parce qu'ils avaient un peu peur de ça, comprends-tu? et ils ne pouvaient plus boire leur thé. Du moins, on se regardait, on parlait de lui. Son départ n'a pas fini de bouleverser nos vies. On regardait aussi la cuisine. Elle paraissait bien grande, bien jaune, bien morte. En partant, Papa me donnait une grande leçon de détachement. Il s'était libéré de la berçante en mettant la hache dedans. Et à moi, il disait : « Finis, les tites régressions avec ton papa dans la berçante, on ne peut pas rester tite toujours. » Il s'est libéré de la bière en supprimant les commandes à l'épicerie, et j'ai compris que c'est ainsi que je me délivrerais de mon compagnon et de ses maudits copains des bars de la rue Saint-Denis : en leur fermant ma porte. Mon compagnon campe sur le trottoir de la rue

Boyer depuis ce temps-là. Mon père a fait comme il l'avait annoncé, et moi aussi. Il m'a laissé son exemple et ses *Confessions* que je médite depuis. Je ne fumerai plus, enfin ça dépend, je serai libre, dépouillée, sans voile. Aimes-tu ça? Et j'aurai des chapelets de flashes. «Car vous étiez avant que je ne fusse», ainsi qu'il est écrit dans *Les Confessions* de mon père, «et je n'étais pas digne de recevoir de vous l'être.» J'en suis maintenant convaincue.

Témoignage d'Antoine Laberge

— Papa nous avait bien eus encore une fois. On était sur ses genoux à pleurer dans son cou. Il a toujours aimé ça, et c'est ce qu'on lui donnait parce qu'on est des bons enfants. Plus ça allait, plus on était assis sur les genoux d'une statue, plus on pleurait dans le cou d'une statue. Ça n'avait plus rien de commun avec Papa en fin de compte. J'ai dit: «Ho! Il n'était pas beau, il n'était pas grand, il était haïssable avant de partir, bien il le reste.» Eux, ils en faisaient un père en nanan, un saint-sacrement géant, une statue de plâtre. Sucrette disait:
«Notre cher père n'avait pas une graine de méchanceté, il est monté tout droit au ciel.»
Titomme disait:
«S'il redescend un jour, ce sera avec Maman, ses meubles et ses papiers d'impôt.»
Surette, elle, était super-speedée et sa voix était plus haute que jamais. Elle criait:
«Il redescendra avec Maman pour nous amener avec lui et nous ouvrir les portes du royaume.»
Puis elle nous a lu un bout dans le livre de Papa, d'une voix à nous défoncer le tympan, comme si elle avait voulu que papa l'entende. Quand elle s'est arrêtée, Titomme et Sucrette ont répondu en chœur:
«Alleluia!»

La sonnerie de la porte nous a fait sursauter. Surette a crié :

« C'est Papa. »

Moi, je leur ai dit que c'était la police et ça finit là.

Extrait du livre XIII lu à haute voix par Suzette Laberge

« Car seul vous êtes, seul votre être est simple, vous pour qui vivre et vivre heureux ne sont pas choses distinctes. »

Collection l'Arbre

L'Aigle volera à travers le soleil	*André Carpentier*
L'Amour langue morte	*Solange Lévesque*
Avant le chaos	*Alain Grandbois*
Badlands	*Robert Kroetsch*
	traduction *G.A. Vachon*
Le Baron écarlate	*Madeleine Ferron*
La Charrette	*Jacques Ferron*
Cœur de sucre	*Madeleine Ferron*
Contes (édition intégrale)	*Jacques Ferron*
Les Contes de la source perdue	*Jeanne Voidy*
Contes pour un homme seul	*Yves Thériault*
D'Amour P.Q.	*Jacques Godbout*
Dessins à la plume	*Diane-Monique Daviau*
Deux solitudes	*Hugh McLennan*
	traduction *Louise Gareau-Desbois*
L'Eldorado dans les glaces	*Denys Chabot*
Feux de joie	*Michel Stéphane*
La Fiancée promise	*Naïm Kattan*
La Fin des loups-garous	*Madeleine Ferron*
Fragments indicatifs	*Jean Racine*
Les Fruits arrachés	*Naïm Kattan*
Guerres	*Timothy Findley*
Histoires entre quatre murs	*Diane-Monique Daviau*
Les Jardins de cristal	*Nadia Ghalem*
Le Manteau de Rubén Darío	*Jean Éthier-Blais*
Le matin d'une longue nuit	*Hugh McLennan*
Une Mémoire déchirée	*Thérèse Renaud*
Le Métamorfaux	*Jacques Brossard*
Lily Briscoe: un autoportrait	*Mary Meigs*
Mirage	*Pauline Michel*
Moi, Pierre Huneau	*Yves Thériault*
La Nuit des immensités	*Huguette LeBlanc*
La Plus ou moins véridique histoire du facteur Cheval et de sa brouette	*Pierre Seguin*
Portrait de Zeus peint par Minerve	*Monique Bosco*
La Province lunaire	*Denys Chabot*